にゃるほど！

作業が遅いで悩まなくなる仕事術図解100

監修
小森優
株式会社リモラボ取締役

イラスト
平田かおり

KADOKAWA

まえがき

「仕事がデキる人の頭の中をのぞいてみたい」

そんなふうに思ったことはありませんか？

お待たせいたしました！
本書が今SNSで大人気のネコ「リモにゃん」と共にゆるっと
わかりやすく解説します！

「仕事ができるようになりたい」と思っても世の中の仕事にまつわることは、すべてわかりやすく解説されているわけではありません。会社の書類やマニュアル、ビジネス書は無機質に作られていることが多いです。

イラスト図解では不思議とそれが、SNSをスワイプする感覚でスッと頭に入ってくるようになります。

リモにゃんとは？

ご紹介が遅れました。本書で登場する「リモにゃん」はリモートワークで自由気ままに働くネコです。

SNSではいつも語尾に「〜にゃ」とつけて話すことでおなじみなのですが、さすがに本ではそれは読みにくいだろう、ということで文章での解説は私、小森優（こもりん）が担当させていただきます。

リモにゃんは私が代表を務めている女性のWEBフリーランススクール＆ラボ『リモラボ』の公式キャラクターでもあります。

これまでスクールでは累計4,000名の女性の働き方をサポートする中で、様々なキャリアアップのコツをお伝えしてきました。

キャリアアップをするためには大きく2つのスキルが必要になります。それはハードスキルとソフトスキルです。

ハードスキル

専門的で特定の業務を遂行するために必要なスキルです。例えば、SNSマーケティング／WEBデザイン／プログラミングなどです。

ソフトスキル

職場における対人関係や個人の行動に関する能力です。例えば、コミュニケーションスキル／問題解決能力／スケジュール管理などです。

多くの職場にとって両方のスキルをバランスよく持ち合わせていることが望ましいです。

もちろん特定の業務を行うためにはハードスキルを磨くことも重要なのですが、どんな職種でも共通して必要なのはソフトスキルです。

そのソフトスキルを誰にでもわかりやすくお伝えするのに最適だと思い、イラスト図解ネコ「リモにゃん」は誕生しました。

これから求められる人材

現代社会は、急速な変化と競争が激しい時代です。ITツールや生成AIの進化により、従来の業務やコミュニケーションの方法が大きく変わりつつあります。これによって、一部の仕事は自動化され、他の分野で新たなニーズが生まれ、人々はより効率的な方法を求めるようになっています。このような状況下で、**業務のムダを省き、生産性を高められる人材**がますます求められています。

しかし、世の中の半数以上の方が「自分の仕事に自信がない」「仕事が遅い方だ」と思っているでしょう。さらに、現場は日々忙しいのでそれを常に気軽に教えてもらえるような職場もなかなかありません。難しいビジネス書を読んだとしても、勉強した気になって終わってしまいがちです。では、どうすれば再現性が高く、実践的な仕事術を身につけることができるのか。そのためにこの本は誕生しました。

表紙を見てお気づきかと思いますがこれまでのビジネス書とは一味違います。なぜなら、**ネコがゆるっと仕事術を日本一わかりやすく解説**をするからです。

世の中にはたくさんの有益なビジネス書がありますが、読んで終わりにせず仕事で成果を上げていくためには、実際に自分が現場で動くイメージをつけることです。そのためには通常次の3ステップが必要になります。

1. 文字で書いてある情報を読む
2. 頭の中でイメージに切り替える
3. 実行に移す

ですが、本書ではすべての項目をイラスト図解で解説をしているため、読んでそのまま頭の中にイメージを作ることができます。

仕事は”サプライズの準備”のように楽しい！

本書はこのような方々にこそ読んでいただきたいです。

- 「頑張ってるのになんか空回りしてしまう」
- 「同僚よりも自分の仕事が遅く感じる」
- 「もっと効率良くストレスなく仕事したい」
- 「周りの人たちができていることを私だけできないと感じる」
- 「月曜日の仕事はじめが憂鬱だと感じる」

社会人になると起きている間の3分の1以上は仕事をしていますし、それが何年、何十年と続いていく方がほとんどです。

誰しも最初は「仕事は辛い」という経験をすると思いますが、それが続くと働くこと自体が楽しくなくなってしまいますよね。

でも仕事の仕方が変わると仕事がまるで**”サプライズの準備”**のように楽しくなるんです。仕事とは本来そういうものだと考えています。

なので、もし今その感覚になれていなかったら「何かがおかしい」と感じ取ってみてください。

でもあなたが悪いわけではありません。「自分ではなく何かやり方が違うはずだ」と捉えて、本書に書いてある図解をヒントにしていただければと思います。

仕事が速い人は「構造化」ができている

「仕事では段取りが大事」とよく言われますが、ではできる人の段取りとはどんなことをしているのか、考えていることまで具体的に知りたいですよね。でもできる同僚や上司の頭の中を覗くわけにはいかないですし、仕事を一日中横でじっと観察しているわけにもいきません。

しかも、コツがわかったところで強く意識をしないとできなかったりします。そんな時に役立つのが「構造化」です。

人は一部の仕事を頼まれたらその一部をそのまま行うよりも、全体像を把握して「何のためにやるのか」「前後に何があるのか」を理解してから行う方が迷わずに目的に向かって行動できます。

さらに構造化ができていれば、先回りをして

「ここまで質を上げて提出すれば次の人が助かるだろうな」

「今この仕事をやっておかないと後で面倒なことが起きそうだ」

などの気配りもできるようになります。

そこで、実際の現場をイメージしやすいように、あえてリアルな上司や同僚の心の声なども、ネコ界の社会に例えて面白おかしく鮮明にイラストで表しています。

本書は新社会人からリーダー職の方まで使えるように、ジャンル別に分けて仕事術をご紹介しています。ひとまずこのつぶらな瞳のきいろいネコについて行ってみてください。

通常10年で身につけるような仕事術を図解で素早く吸収して、毎日自信を持てる働き方を手に入れましょう!

登場キャラクター紹介

リモにゃん

フリーランス３年目のネコ。
がんばり屋だけどおっちょこちょいな
面もある。好きな仕事をしながら
のんびり釣りをするのが趣味。

ネガにゃん

ネガティブ感情に支配されがちなネコ。
ラクして沢山稼ぎたいと思っている。
嫌いなことは努力。飽き性。

ボスにゃん

リモにゃんの上司。
仕事のデキる敏腕ネコ。
いつも冷静で頼りになる。

この本の活用方法

① マジメに順番に見る

② 職場にお守り代わりに置いておく

③ パラパラめくって目についた所を見る

④ 目次を見て目についた物を見る

⑤ 図解だけを眺める

⑥ kindle版をダウンロードしてスマホから見る

⑦ お友達へのプレゼントに

⑧ 後輩への教育に

好きな活用方法でお仕事のお供にしてにゃ

目次

まずは知ってると差がつく
メール・チャット術の
基本からにゃ！

ストレスのない美しい
メール・チャット術

＼相手も返信しやすい！／

理想的なやりとり

わかりにくく回答しにくいメッセージ

ネガにゃん

お疲れ様です。
〇〇の件は一旦〇〇さんと話し合い保留となっていましたが、今回のプロジェクト再開にあたり、〇〇さんが「進行しても良いのではないか」と言っていたこともあり、もう一度ご確認をお願いしたいです。どうすれば良いかお返事をお願いいたします。

わかりやすく回答しやすいメッセージ

リモにゃん

お疲れ様です。
〇〇の件で確認したいです。
A.B.C どちらがよろしいでしょうか？

A.〇〇〇〇
B.〇〇〇〇
C.〇〇〇〇
個人的には〇〇という理由で
A 案がおすすめです。

ダラダラ長いだけのメールは迷惑！結論を最初に！

理想的なメールのやりとりは、相手の立場を考えたわかりやすい内容に重きを置いているものです。

社会人になりたてのときは、メールの書き方がわからなくてダラダラとただ書きたいことだけを書いて長くなりがち。ただ長いだけのメールは、読む側からすると結論が何かわかりにくいので、どう答えていいか迷わせてしまうことになります。

読む側＝上司や取引先も忙しい！ということにいち早く気づき、わかりやすいやりとりを覚えるためには、最初の文言に結論を持ってくることが重要。結論を最初に提示して、そのあとABCなどの選択肢を与えると相手もすぐにレスポンスができるので、返信も早くなります。さらに慣れてきたら、最後に自分の考えや意見も付け足すとより相手が判断しやすくなるでしょう。

つまり、相手が判断しやすいメールこそ理想的です。

もしこのメールが自分に送られてきたら、ということを一度考えてから書いてみるのもオススメです。

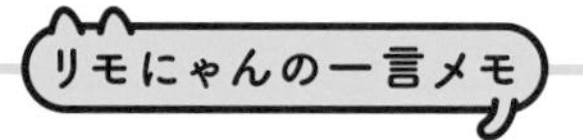

**メールは相手の立場に立って
読みやすく、答えやすくがベストにゃ！**

＼ 言葉のダイエット！ ／

コミュニケーションコストを減らすと信頼が増える

文章でコミュニケーションをとることは結構難しいにゃ
仕事においてコミュニケーションコストを最小限にできる人は
信頼されやすいからポイントをまとめたにゃ！

結論から伝える

結論さえわかれば即返信
できることもあるにゃ

箇条書きにする

箇条書きにすると
相手を悩ませないにゃ

最小限の往復にする

ラリーが多いと返す手間が
増えるにゃ

聞く相手を厳選する

知らない人に聞くと
その人の手間が増えるにゃ

間違いがないか確認する

メンション先は正しいか
権限を確認したかチェックにゃ

相手の立場で考える

相手が知らないような
言葉を使わないにゃ

相手の時間を意識すると相手の仕事が
はかどったり、会社の業務効率が上がるにゃ！

メールやチャットのラリーは少なければ少ないほど効果的！

コミュニケーションは仕事において大切ですが、文章においてのコミュニケーションコストはあまり多いと時間の無駄になります。つまり、メールなどのコミュニケーションはやりとりが少なければ少ないほど事業が円滑に進みやすいので、できるだけ少なくしたほうがいいと言えるでしょう。

ではなぜ、やりとり＝ラリーが少ないほうがいいのか。メールでやりとりをするときは、報告・連絡・相談の”ほうれんそう”が大前提にあります。ですが日程調整をするときなど、**何回にも分けてラリーが続くと本来はすぐに答えが出せるものもただ無駄なやりとりだけが続き、相手の時間も奪ってしまいます。**

そこで、最小限のラリーを目指すために結論から伝えると視覚的にもわかりやすく、回答もしやすくなります。また、視覚的な面でいうと箇条書きにしたり、専門用語を使わないようにしたりという気配りも効果的です。

時間は自分だけではなく相手にも平等で、有限なもの。働いている時間にも限りがあるので、生産性を上げるためにもコミュニケーションコストを減らしたやりとりで信頼を増やしましょう！

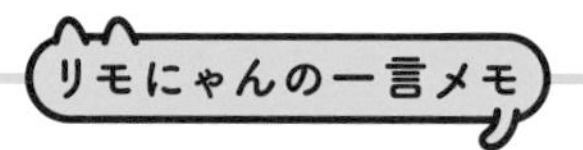

時間は誰にでも平等で、限りがある！
このことを忘れてはいけないにゃ！

＼気遣い上手がやっている！／

好感度倍増チャット術

表情が見えないコミュニケーションだからこそ
相手想いの文章作りを心がけるにゃ！

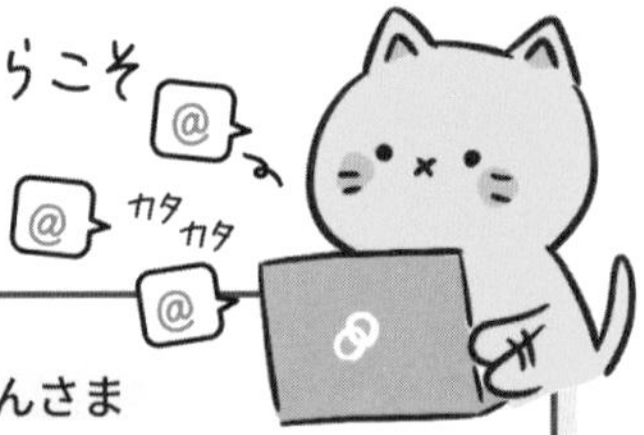

❶ メンションを付ける

メンバーが数名いるチャット
ではメンションをつけないと
通知が届かない

❷ 結論から書く

何についての連絡か
伝わりやすくなる

❸ 番号を振る

数字にすると認識がしやすく
返信時も間違いが減る

❹ 箇条書きにする

読みやすさを意識して
要点をまとめる

❺ 区切りを入れる

視覚的な工夫で内容が
伝わりやすくなる

❻ 気遣いの一言を入れる

気持ちの良いやりとりを
するための言葉

@ボスにゃんさま
お世話になっております。

【○○の件について】
３つ不明点がありますので、
ご確認をお願いいたします。

――――――――――――――――――

①バナーのサイズは「○○×○○」で
よろしいでしょうか？
②納品までの流れは以下の認識で
合っていますか？
▶初稿提出　○月○日
▶確認～修正対応
▶納品期日　○月○日
③納品先は○○宛で良いでしょうか？

――――――――――――――――――

以上です。
ご多忙の中恐縮ですが、
お手隙の際にご確認のほど
よろしくお願いします。

または

お手数をおかけしますが、
ご確認とご回答をお願いいたします。

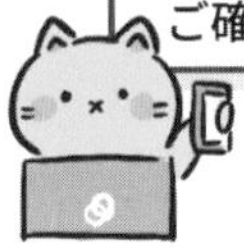

カタカタ

送信前に最終チェックにゃ！

好感度の高いチャットとはアクションの起こしやすさがカギ！

チャットはとても便利なコミュニケーションツールですが、相手の顔が見えないからこそ好感度の高いチャット術が必要となってきます。

では、好感度の高いチャットとは何か。それは丁寧すぎるほど丁寧なチャット！といっても過言ではありません。この文章を読んだとき相手はどんな気持ちになるか、どうすれば対応しやすいか。

チャットとはただ文章を送って終わりなのではなく、どれだけ気持ちよくお仕事をスムーズに運ぶかが最大の目的です。相手のアクションを得るためのものでもあり、そのあとにもやりとりが続くからこそ気遣いが必要と言えます。

チャットに明確な正解はないですが、相手のことを常に思いながら文章を調整すれば、最低限のやりとりは成功です。そのためにも気遣いの一言は不可欠なのです！

相手の限りある時間をいただいてメッセージを見てもらっているのですから、気持ちよくやりとりをしてもらえるよう必ず文章の最後には気遣いのひと言を添えるべきです。言葉は「ご多忙の中」のほか、年末年始などの時節柄や風邪の流行などあればそのようなことに触れても構いません。これだけで好感度はグッと変わります。

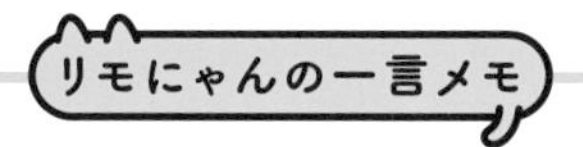

チャットは顔が見えないからこそ相手の気持ちに立って書くのが重要にゃ！

＼ 困ったときはコレ！ ／

クッション言葉

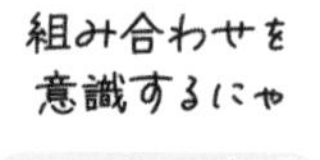

クッション言葉
×
内容

お願いするとき

気づかう気持ちを添えて
伝えるにゃ

- 恐れ入りますが
- もしよろしければ
- 差し支えなければ
- ご迷惑でなければ
- ご都合がよろしければ
- お手数をおかけしますが
- お忙しいところ申し訳ありませんが

改善してほしいとき

押しつけずこちらにも非があった
可能性を伝えるにゃ

- 念のためですが
- 説明が足りず失礼しました
- 余計なこととは存じますが
- 細かいことを言ってしまい恐縮ですが
- こちらの都合ばかりで恐れ入りますが
- 言葉が足りなかったかもしれませんが
- ○○様の意向と異なり申し訳ありませんが

断りたいとき

こちらも心苦しいという思いを
伝えるにゃ

- 残念ですが
- せっかくですが
- あいにくですが
- 申し訳ございませんが
- 大変ありがたいお話ですが
- 心苦しい限りではございますが
- ご意向に添えず申し訳ありませんが

異論を唱えるとき

自分の立場をわきまえて使うにゃ

- 申し上げにくいのですが
- 余計なこととは存じますが
- 差し出がましいようですが
- 出過ぎたことを申しますが
- 失礼を承知で申し上げますが
- 私の考えすぎかもしれませんが
- おっしゃることは重々承知しておりますが

やわらかいコミュニケーションの秘訣はクッション言葉にあり

クッション言葉とは、目的はブラさずに話のトーンを柔らかくする言葉です。クッション言葉を使う理由は、大きく分けて3つあります。

1 相手への配慮になる

クッション言葉を使うことで、相手が話を受け入れやすくなります。たとえば、何かをお願いする際に「恐れ入りますが」と前置きをすることで、相手の負担感を軽減できます。

2 業務を円滑に遂行できる

ビジネスシーンで重要なのは、『良好な人間関係を築くこと』です。相手に対してやわらかい印象を与えることで、協力を得やすくなります。

3 ネガティブな感情を緩和できる

直接的な表現を避けてクッション言葉を使うことで、相手がネガティブな感情を持ちにくくなります。たとえば、「お手数ですが、この部分を修正していただけますか」と言うと、相手の気分を害さずに依頼を伝えることができます。

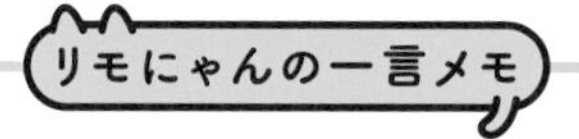

**クッション言葉を必要に応じて上手に使って
コミュニケーション美人になろうにゃ！**

＼コツをつかめば簡単！／

日程調整の美しいラリーの仕方

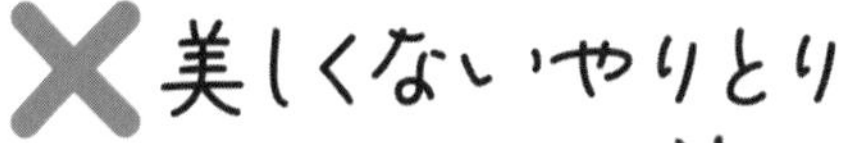

打ち合わせをお願いできますか？

可能です。

日程調整をお願いします。

〇日はいかがでしょうか？

この日は都合が悪いです。

〇日はいかがでしょうか？

では〇日でお願いします。
Zoomでいいですか？

いいですよ。
じゃあこちらからお送りします。

Zoomリンクを貼る

なかなかお仕事が
進まにゃい…

〇 美しいやりとり

〇〇の件について〇分程
打ち合わせをしたいのですが、
下記日程で空いている
日時はございますか？

・〇月〇日 9時～12時の間
・〇月〇日 15時
・〇月〇日 9時

〇月〇日 15時でお願いします。

〇月〇日
15時にこのZoomでお願いします。

Zoomリンクを貼っておく

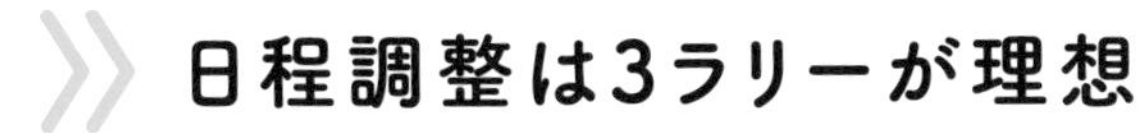

日程調整は3ラリーが理想

メールやチャットではよく日程調整についてのラリーが行われます。たとえば、打ち合わせや会議の日程調整を行うとき、ラリーが続きすぎてしまうと時間のロスにもつながってしまいます。

図解の美しくないやりとりからもわかるように、何回も細かいラリーを続けると、単純なやりとりも複雑になり、やりとりが面倒になってしまいがち。**ラリーが多ければ多いほど、日程調整だけが目的なのに答えが出るまでに2～3日費やしてしまう可能性もあります。その理由は、相手からの返信がすぐに来るとは限らないから、です。**

ラリーが少なければその日のうちにアポイントが取れるのに、ラリーが増えればすぐに返信ができず相手の時間を奪ってしまうことになってしまいます。この無駄がマーケティングの場合は売上に関わってしまう可能性もあります。だからこそ短いラリーはマーケティング職や営業においてすごく大事なことなのです。

美しいやりとり例のように、最初から結論と選択肢をまとめて送れば返信も一度ですみ、短い時間でアポイント完了という流れになります。日程調整は3ラリー！を合言葉に覚えておきましょう。

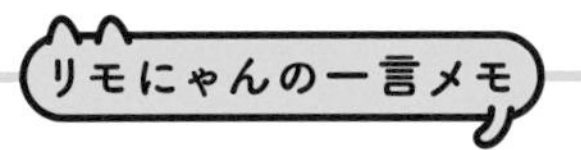

**返事はすぐに来るとは限らにゃいから
長いラリーは時間の無駄にゃ！**

＼役割分担は明確に！／

メンションの付け方

メンションとは名前に「@」を付けることで、相手に直接通知が行く機能にゃ！

まとめ

忙しい上司や取引先は多くのチャットを掛け持ちしてるにゃ
@（メンション）をつけて自分に必要なメッセージと認識してもらうにゃ！

誰に向けてのメッセージなのか明確に

メンションとは名前の前に“@”をつけることで、伝えたい相手に直接通知が行く機能のこと。このメンションの重要性は、Slackやチャットなどをグループで行っている際、返信を希望する相手からのレスポンスがきちんと素早く返ってくることにあります。

メンションをよく使うツールの代表があとにも紹介するSlackなどです。スレッドがたくさんあって、参加している人もさまざまなSlackにおいてメンションをしないとメッセージはすぐに埋もれてしまう危険性があります。メッセージが埋もれてしまって相手に見てもらえないともちろん返信だって来ません。だからこそ、必ず名前の前にメンションをつけて相手に通知が行くようにするのが大事なのです。

メンションさえつけておけば、相手の確認しやすい時間で見てもらってから返信をもらえます。気をつけるべきは、返信のときにも必ずメンションをつけること！　これをしないと誰への返信かがわからなくなってしまいます。

Slack同様、LINEでもメンションは大事です。グループでの会話の場合、メンションは必ずつけなくてはいけません。このメッセージが誰に向けてのもので、誰が返信すべきか……これがわからない状態が一番の無駄で、時間的にもロスとなるのですから。

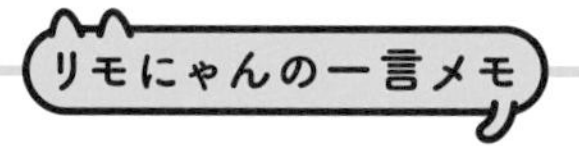

同じグループの人も返信しようか迷う
という手間を省けるにゃ！

＼ すぐにマネできる! ／

デキる人がやっている わかりやすいチャットの特徴

1 順番を工夫する

結論

細かい要点

理由・事例

まとめ

2 相手の知識レベルに合わせる

高すぎず
低すぎず

相手が知っている
前提で話さない

業界が違う場合
専門用語に注意する

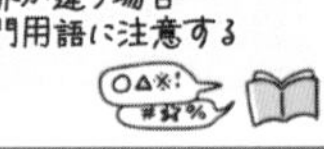

3 反応を確認する

相手の反応を見て
理解しているかを確認にゃ

「分かった所を言ってみて!」と
言葉にしてもらうのも効果的にゃ

4 視覚的に見せる

どうぞにゃ

文字だけ　図解　動画

小　伝わりやすさ　大

5 上から目線NG

教える、教わるを上下関係に
しないことが大切にゃ

早口でまくしたてない

相手が傷つく言い方をしない

6 数字を使う

要点は3つにゃ。

1、糸を垂らす
2、じっと待つ
3、かかったら引く!

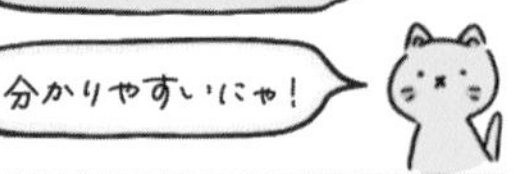

7 例え話を使う

お問合せボタンは
スーパーのレジと同じで
設置場所が大切にゃ!

8 余計な情報は省く

不要な情報が多いと
相手は混乱するにゃ
取捨選択するにゃ

9 専門用語は最小限にする

KPIを精査し、ROIを最大化
するマルチチャネル戦略を…

チャット上手はビジネス上手

多くの企業やビジネスシーンでは、チャットツールやメールが使われていますよね。上手なやりとりができると、正確な情報をお伝えできる上に、プロフェッショナルな印象を持ってもらえます。

なぜチャットコミュニケーションが重要かというと、短い時間で相手に情報を伝えることによって問題の解決が早くなり時間を有効に使えるからです。特に経営者や上司は時間の価値がとても高いので、見やすく、伝わりやすく、を意識することで「相手の時間を奪わないようにする」ことがポイントです。

また、重要なやりとりや約束をチャットに残しておくことで、後から「言った・言わなかった」のトラブルを防ぐこともできます。

相手の表情が見えないからこそ、見せ方の工夫や気遣いを大事にしたいですよね。チャットでのコミュニケーションは、仕事の効率化、信頼獲得、誤解防止、時間の節約、記録保持、チームワークの向上に繋がります。

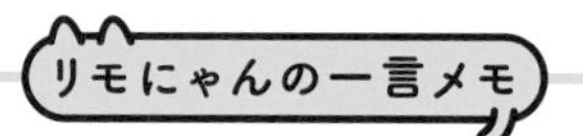

**相手に合わせたチャット術を
上手に使っていこうにゃ！**

＼作業効率が格段にアップ！／

テンプレ活用術

何度も使うやりとりは
テンプレートとして登録することで
チリツモ時短が実現するにゃ！

新規メール

宛先：　〇〇〇@△△△.co.jp
Cc:　△△△@×××.co.jp
Bcc:　□□□@〇〇〇.co.jp
差出人：　〇〇〇@□□□.co.jp
◀ メールアドレス

〇〇の確認依頼　◀ タイトル

□□□部
〇〇様
◀ 宛名

お疲れ様です。△△部の□□です。　◀ 冒頭の挨拶・名前

資料が完成しましたので内容のご確認をお願いいたします。　◀ 結論

・〇月〇日のセミナーに使用するスライド資料
・初心者〜中級者向け
◀ 前提

参考 URL を添付いたします。
http://〇〇〇〇.com/××〇〇△△
◀ 詳細

△△部としては〇〇〇〇と考えております。
ご確認よろしくお願いいたします。
◀ 意見

[あなたの名前]
[あなたの役職]
[会社名]
[会社の住所]
[電話番号]
[メールアドレス]
[ウェブサイト URL]
◀ 署名

シチュエーションごとに数パターン作っておくと便利にゃ！

何回も使うやりとりはテンプレ化して作業の時短を図るのが賢いやり方！

テンプレートとは、頻繁に利用する文章や計算式の定型フォーマットのことで、確認用と共有用があるとすごく便利です。メールのテンプレはほかにも質問用、報告用と目的別にいくつあっても困りません。

毎回同じテンプレを用意しておくと、相手側にもこの人はいつもわかりやすく送ってくれるというプラスの印象を与えることができます。

テンプレの一番の目的は作業の時短。よく使う定型文や署名などは一から打ち込むよりも、テンプレがあったほうが自分の労力も減ります。また、**テンプレは仕事内容が増えればその都度増えていくものなので、それぞれ登録しておくとさらに良いです。よく使うものは辞書登録しておくと、一文字打つだけで必要な言葉が出てきて効率的！**

このテンプレをオファー系、カスタマーサービス系と部署内でも共有できるようにしておくと、それがマニュアル化され部署全員の作業が時短となり、みんなが幸せになっていきます。

また、時短のほかにもテンプレにはミス軽減の効果もあります。時短もできてミスも防げるテンプレは活用しないともったいないのです。

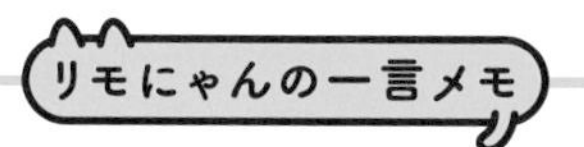

テンプレは仕事に合わせてブラッシュアップすればより時短にゃ！

＼これがあると助かる！／

美しいやりとりを作る 基本のテンプレート

1 確認したいとき

【確認】　先に用件を書く
結論を書く

■前提情報（誰が・どこの情報か）

■詳細（資料 URL など）

■〇〇の意見

2 共有したいとき

【共有】
結論を書く　必ず結論から！順番もポイント

■前提情報（誰が・どこの情報か）

■詳細（資料 URL など）

■〇〇の意見

3 依頼したいとき

【ご依頼】
結論を書く

■前提情報（誰が・どこの情報か）

■詳細（資料 URL など）

■〇〇の意見

4 意思決定を仰ぎたいとき

【意思決定のご依頼】
結論を書く

■前提情報（誰が・どこの情報か）

■詳細（資料 URL など）

■〇〇の意見

メールのやりとりで仕事のできる、できないが判断されてしまう…！？

やりとりの美しさは相手目線にあり

ビジネスシーンでは、効率的にコミュニケーションをとることが重要です。人にわかりやすく端的に伝えることは多くのメリットがあります。

まず、誤解を防ぎ、仕事をスムーズに進めることができます。**簡潔なメッセージは相手が正確に理解しやすく、無駄な確認作業を省けるので時間を節約できます。これにより、効率的なコミュニケーションが実現し、プロフェッショナルとしての評価にもつながるのです。**

また、明確な指示は相手がすぐに行動に移しやすくなり、スムーズにプロジェクトを進めていくこともできます。

さらに、問題点や要望を正確に伝えることで迅速な対応が可能になり、仕事の質も向上します。

これらのメリットを意識することで、ビジネスシーンでコミュニケーションが円滑になり、相手からの評価や信頼を得やすくなるきっかけになります。

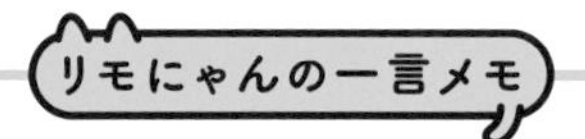

テンプレートを使うと
格段に伝わりやすくなるにゃ。

＼ デキる人はやっている! ／

送信前チェックリスト

1 文字

- 誤字脱字はないか
- 相手の社名は正しいか
- 相手の個人名の漢字は正しいか

2 タイトル

- 確認／共有／依頼／意思決定の依頼など相手が用件を一目で理解できるタイトルか

3 文章

- 正しい日本語になっているか
- 相手が知らない前提で伝えているか
- 箇条書きにできているか
- 客観的に読みやすいか
- 回答日時を伝えているか

4 最終チェック

- メールアドレスは正しいか
- CC、BCCを入れているか
- 添付ファイルは正しいか
- 添付ファイルの数は合っているか

送る前にちょっと待った！
凡ミスを防ぐ習慣をつけよう

メールの送信前チェックリストを使う目的は、送信前にメールの内容や伝え方を確認し、ミスを防ぐことです。

チェックリストを使うメリットは3つあります。まずは誤送信やミスを防ぐことです。宛先の確認や誤字脱字の修正、添付ファイルの確認などをしっかり行うことができます。特に、誤った情報や間違った宛先に送ってしまうと、重大なトラブルに発展する可能性があるため、非常に重要です。

2つめは、プロフェッショナルな印象を与えられることです。チェックリストを使うことで、敬語の使い方や適切な挨拶文、メールのフォーマットを確認する習慣がつきます。これにより、自然とビジネスマナーや文章力が向上します。このような習慣を身につけると、長期的なキャリアの構築にも繋がります。

3つめは自信と安心感を持てることです。チェックリストを活用することで、メールの送信前に再確認を行い、作った内容に自信を持てます。ミスを減らし自信を持って業務に取り組むことができるようになるのは大きなメリットです。

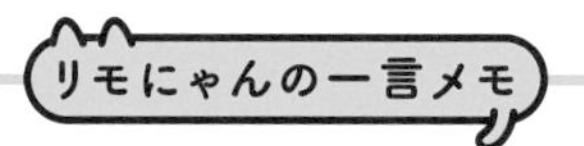

**チェックリストを活用して
業務の質も上げていこうにゃ！**

なんだか作業効率が悪い…
そんな時はITツールを活用して
業務を効率化するにゃ！

Chapter 2

ITツールを使いこなして業務効率化

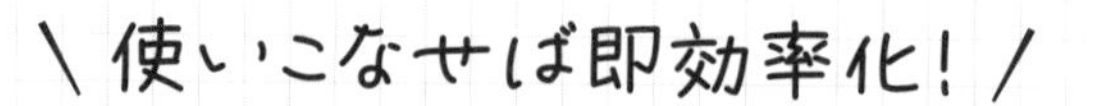

デキる人はITツールを使いこなしてる！

Zoom、Slack、Googleカレンダー、うまく活用できている？

ITツールとは、仕事の業務効率化を目的としたオンライン上のシステムのことです。スケジュール管理や社内ドキュメントの共有、プロジェクト管理など種類はさまざまですが、パソコンが主流の今の時代ではITツールは使えるということが大前提になっている仕事や会社も多いはずです。

パソコン初心者の方はITツールってショートカットとかツールとかいろいろ難しそうと考えがちですが、一度トライしてみるだけでどれだけ速く仕事が終わるかを実感できるのでまずは勇気を出してチャレンジしてみてほしいです。**今、勇気を出してITツールを取り入れれば、これから先の仕事で無駄に過ごすはずだったかもしれない時間が削れる＝自由になる時間が増えるということです。**

たとえば、オンラインミーティングをしようとなったとき、自分がZoomやGoogle Meetなどの機能を使いこなせないとそれだけで時間のロスが生まれます。つまり、ITツールを使いこなせれば、自分の時間だけでなく、相手の仕事時間も短縮できてお互いハッピーになれます。

これからはChatGPTのように生成AIが盛んになっていきます。「ITツールを使いこなせない＝置いていかれる」ことになるのでどんどん触ってみて損はありません。

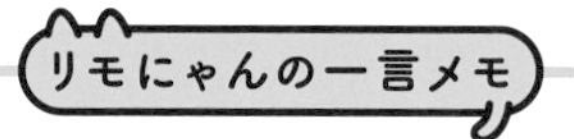

習うより慣れろの精神。
まずは触ってみて機能を知ろうにゃ！

＼見つけやすさアップ！／

脱データ迷子！
おすすめフォルダ管理法

業務の効率化に欠かせない整理整頓術。PCの中がスッキリわかりやすくなる分類法を2つ紹介するにゃ！

❶ 案件で分ける方法

01_おさかな商事（会社名）
- 2023年 ← 終わった年はまとめる
- 240202_案件1
  - 240202_案件1.jpg
  - 旧データ
  - 素材_参考資料
- 241012_案件2
- 241204_案件3

（日付で管理）

02_にゃんこ社
- 240829_案件4
- ⋮

残したいデータや素材は同じフォルダにまとめる

❷ 年度で分ける方法

2023
- 01_おさかな商事
  - 01 提案書_契約書
  - 02 議事録
  - 03 企画書 ─ 0202_おさかな企画.pdf（日付を入れる）
  - 04 納品データ
- 02_にゃんこ社

2024

（数字で順番を整える）

コツ

- ☑ ルールを決めて統一する
- ☑ 日付を頭にする
- ☑ 階層は3以上増やさない
- ☑ 1つのフォルダに入れるファイル数を増やしすぎない
- ☑ 一時的にファイルを保管できるフォルダを作る ← こっちがおすすめ
- ☑ 区切りはハイフン「-」かアンダーバー「_」で統一する
- ☑ ひらがな・カタカナ・漢字…全角にする
- ☑ 英数字…半角にする

（全角の英数字・記号は文字化けの可能性あり）

Windows：ツリー表示 ／ Mac：カラム表示 で階層が見やすくなるにゃ！

フォルダをすっきりまとめると仕事効率も爆上がり

パソコンのフォルダ整理のコツを紹介します。フォルダ整理の主な目的の一つは、必要なファイルやドキュメントに最短でアクセスできるようにすることです。これにより、業務の生産性が向上し、重要なタスクに集中する時間を確保できます。

次に、フォルダを整理することでデータの保全とセキュリティが向上します。**整理されたフォルダは、データの紛失リスクを軽減します。また、機密情報や重要なファイルを適切に分類・保存することで、不正アクセスや情報漏洩のリスクを低減します。さらに、共有フォルダやチームフォルダを適切に構成することで、チームメンバー間での情報共有がスムーズになり、共同作業が効率化します。**

また、フォルダをいつも整理整頓しておくと、ファイルの重複を防いで容量の無駄遣いを減らすことも可能です。不要なファイルを削除し、重複ファイルを整理することで、パソコンのパフォーマンスが向上して、システムの動作も安定します。

最後に、フォルダ整理を普段からしておくと、集中力が高まるので仕事の質にもつながってきます。

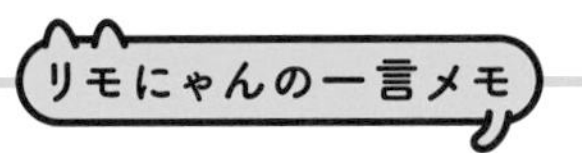

フォルダ迷子にならないように整理整頓しておこうにゃ。

＼簡単かつ時短対策に有効！／

タイピング時間をカット！ ユーザー辞書活用法

よく使う単語や固有名詞・定型文を登録してタイピング時間を激減させるにゃ！

個人情報入力

じゅうしょ	○○市××町…
ゆうびん	〒○○○−○○○○
でんわ	000-0000-0000
あどれす	××@○○○.com
かいしゃ	○○市××町

ビジネスメール

おてよろ	お手数をおかけしますがよろしくお願いいたします。
なにとぞ	何卒よろしくお願い申し上げます。
おてすき	お手隙の際にご確認よろしくお願いいたします。
ごけよろ	ご検討よろしくお願いいたします。
ごふめ	ご不明な点がございましたらお気軽にお問い合わせください。
こんよろ	今後ともよろしくお願いいたします。

資料作成

1	【1】
かぎかっこ	「 」
きごう	＼／｜
にちじ	【日時】 月 日：

誤った予測変換にならない「よみ」にするにゃ！

辞書登録の方法

iPhone
設定→一般→キーボード→ユーザー辞典→「＋」マークで追加

Android
設定→システム→言語と入力→詳細設定→単語リスト

Windows
タスクバーの文字マークを右クリック あ
▼
単語の追加

Mac
メニューバー あ クリック
▼
ユーザー辞書登録

機密性の高い情報は登録しないように注意にゃ！

（例）クレジットカード番号・暗証番号

よく使う言葉を辞書に登録すれば タイピングもラックラク&時短確実!

ユーザー辞書は、シンプルだけど実はすごく便利な機能です。

一番の目的は、タイピングの時短。

住所登録や発送作業など、個人情報入力が必要なシチュエーションのときは特に便利で、一度登録すれば1文字2文字を打つだけで必要な単語が予測ですぐに出てきます。

単語だけでなく、ユーザー辞書機能はビジネスメールでも効果的で、定型文の略語を登録するだけで長文もほんの数秒で打つことができます。

ユーザー辞書機能は部署で共有することもできるので、1回の登録でみんなのタイピング時間が短くなって、残業時間の削減につながります。WEB系のお仕事の場合、Googleスプレッドシートや Slackを登録するときに自分のメールアドレスを送る機会が多々あるからこそ、辞書に登録することをオススメします。

また、取引先への定型文も図解の例のように自分がきちんと覚えられる略語で登録することでメールを打つ時間も短くなるので、この作業をめんどうくさがらずにやっておくことで後々の作業が楽になります。

ちなみに、クレジット番号や銀行の暗証番号など機密性の高い情報は悪用されると危険なので、登録しないようにしてください。

仕事先の住所、電話番号、メールアドレス、ビジネスメール。これだけでもかなりの時短になるので、まずはここからはじめてみましょう。

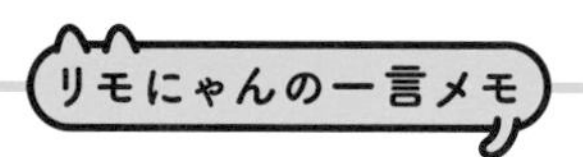

同じ言葉を何度も打つにゃ!
一度の辞書登録ですべてがスムーズに。

＼スケジュール管理にベスト！／

Googleカレンダーの上手な活用法

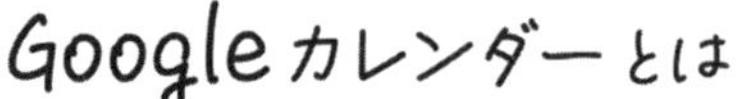

Googleカレンダーとは

- 無料スケジュール管理ツール
- Googleアカウントが必要
- 予定の共有、管理が簡単にできる

① 通知機能

設定した時間になると通知してくれる
メール送信も可能

② 色分け

案件ごとに色分けして
見やすくできる

③ ToDoリスト

タスクとしてカレンダーに入力すると
他人にみられることなく
自分のタスク管理ができる

Googleカレンダーの
ショートカットキーが巻末にあるので
参考にしてにゃ

スケジュールを簡単にコントロールできるのがGoogleカレンダーの魅力

Googleカレンダーとは、Googleのアカウントさえ取得すれば誰でも使えるカレンダー機能のこと。

15分単位で予定が組めたり、予定の分類ごとに色を変えられたり、企業の場合はその予定を複数人で共有することもできる、とても便利なカレンダーです。

一般的なスケジュール管理に加え、リマインダーやマップ、ビデオ会議などの機能に直結することもできるので、自分のスケジュールを簡単にコントロールできます。

例えば、会議の3分前にリマインダー通知を設定することもできるので忙しくて忘れるというミスを防げるのもうれしいポイントです。

最近では、プライベートの予定も共有する企業も増えてきているため、このGoogleカレンダーを活用することで、自分だけではなく相手のスケジュールを把握することができ、お互いに予定を思いやることもできます。

似ているツールとして挙げられるのが、Spirという日程調整ツール。こちらは、相手も自分も思い通り調整できるのがコンセプトになっていて、戦略的にタイムマネジメントができるものです。

ですが、無料で誰でも使えて、共有もしやすいという点を考えるとやはりスケジュール管理はGoogleカレンダーがオススメです。

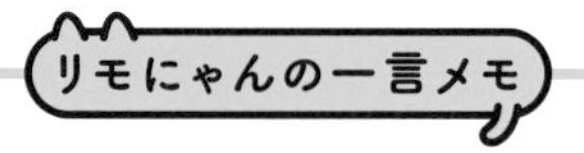

公私に使えて汎用性が高すぎるにゃ！

＼プロジェクト管理にはコレ！／

Slackの活用法

Slackとは

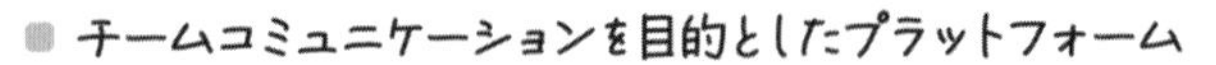

- チームコミュニケーションを目的としたプラットフォーム
- プロジェクト、トピック、チームごとにチャンネルを作成でき、情報の整理とアクセスがカンタン！
- 多機能でカスタマイズ性が高く、多くの企業や組織で効率的なコミュニケーションツールとして利用されています

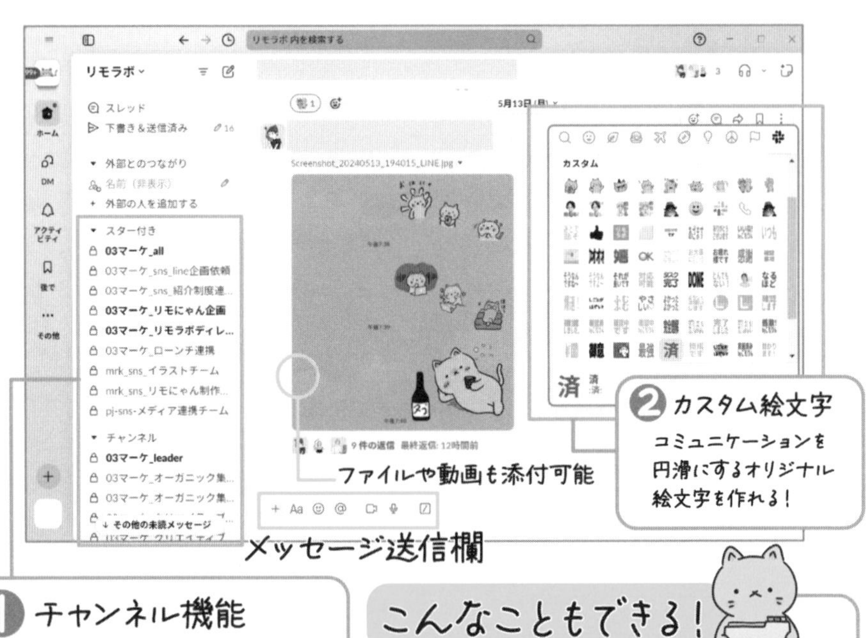

① チャンネル機能

チームごとの会話ができるから
多数のプロジェクトを
進行するのに便利！

こんなこともできる！

Slackのチャンネル
多すぎ問題を解決する、
グーグルクロームの拡張機能！
Slack Channels Grouping

○○部
- ○○チーム
- ○○連携チーム
- ○○イベントチーム
- ○○制作チーム

やりとりや人数が増えてきたら LINEよりSlackが絶対的に便利！

企業でよく使われているメッセージングツールがSlackです。グループLINEでやりとりしていた人たちも多かったはずですが、なぜ今Slackが増えたのか。その理由はたくさんありますが一番大きな理由としてはグループの中で階層分けができることにあります。

仕事がたくさん増えてくると、複数のプロジェクトが同時に動くので階層分けができないといろいろなやりとりの中に、本当に自分に必要なメッセージが埋もれてしまいます。でも**Slackならひとつのプロジェクトに対してスレッド形式でグループ内に階層という名のお部屋をつくれるので、全体の状況把握をしやすいだけでなく自分宛のメッセージを見逃す心配がなくなる**ということです。「〇〇の件を見返したい」となったときもお部屋の中でなら簡単に見つけられるので、時短にもつながります。

ほかにも図解にある通り、Slackにはビジネスシーンに役立つ応用機能がたくさんあるのもうれしいポイントです。

大きな企業はもちろん、中小企業でもプロジェクト数がたくさんあるところ、もしくはそのプロジェクトに関わっている人数が多いところはSlackを活用すれば見逃しがなくなって、タスクの管理もしやすくなるので、ぜひ取り入れてほしいです。

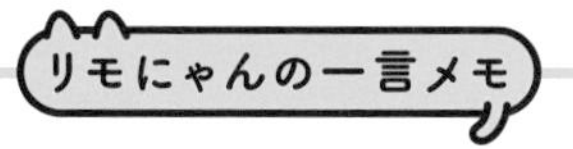

プロジェクト管理に最適のツールにゃ！

＼シンプルで使いやすい！／

Chatworkの活用法

Chatworkとは

- ビジネスコミュニケーション向けのプラットフォーム
- 直感的に使いやすいシンプルなインターフェース
- 外部のクライアントや業者とのやり取りに向いている

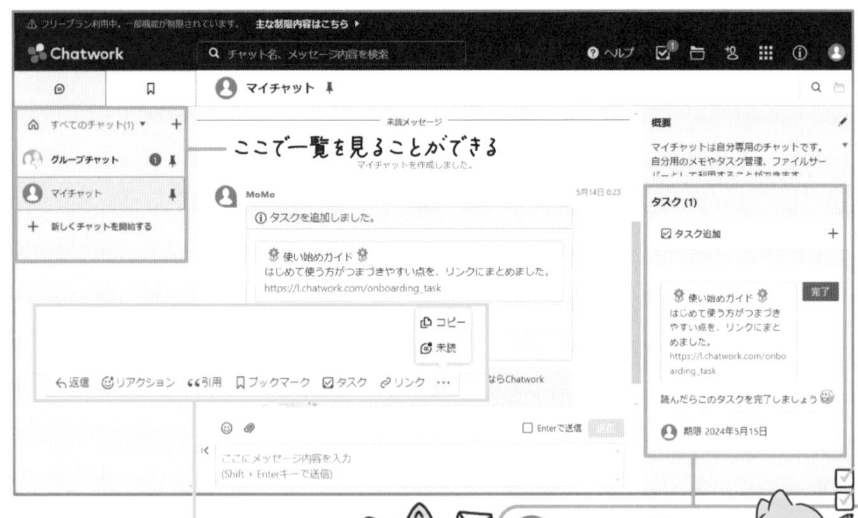

① 簡単アクション機能

メッセージを選択するだけでアクションが一覧で出てきてわかりやすい！

② タスク管理

チャット画面の横に期限付きでタスクを登録できる！

外部ソフトと連携！

- 受付システム
- プロジェクト管理システム
- 会計ソフト
- Google カレンダーや G メール

出入りの多い仕事はChatworkでシンプル＆スムーズに！

いろいろなITツールの中でも、ビジネスチャットツールのChatworkも使う機会が多いかもしれません。チャット内で直接タスクを割り当てることができて進捗の管理がしやすく、GmailやGoogleカレンダーと連携することもできます。**無料版で使える機能も多く、企業やフリーランスさんも費用面で使いやすいのも魅力です。**

また、外部とのやりとりをするにはSlackだとゲストアクセスなど特定の設定が必要ですが、Chatworkは簡単に招待できるので、プロジェクトごとにさまざまな人が新規で入ったり入れ替わるような場面ではとても使い勝手が良いです。

LINEのようにメッセージが相手に読まれたかどうか確認できるのもうれしいポイントです。「あれ見てくれているかな……？」と心配にならずコミュニケーションがスムーズになります。

日本の企業向けに設計されておりセキュリティ面もしっかりしています。「今回の仕事はChatworkで進めたいのですが」となった時に、スムーズに使えるよう軽くでも触っておくことをオススメします。

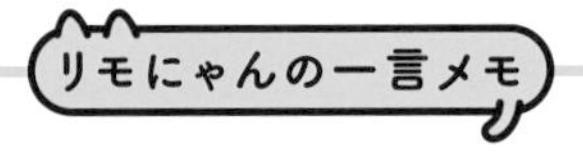

メッセージ既読機能はありがたいにゃ！

＼ オンラインMTGで大活躍！ ／

Zoomの活用法

Zoomとは

- オンラインMTGで活躍する機能を多数装備
- 100名以上の大規模なミーティングに対応でき追加のライセンスで最大1,000名まで拡張可能
- 録音や録画が可能

無料版でできること

通話／自動字幕生成／画面共有／ホワイトボード／強制ミュート／ノイズキャンセリング／ブレイクアウトルーム／アンケートなど

無料で使えるビデオ会議ツール ブレイクアウトルームはオススメ

インターネット環境があればオンラインで会議できるツールがZoomです。学生さんも社会人さんも使用頻度は高いのでご存じのツールかもしれません。

無料版では2人であれば時間無制限、3人以上のグループ会議だったら40分まで無料で使えます。40分経つと自動的に終了しますが再度作り直せば会議を続けることはできます。100人までなら参加可能で、画面共有もできますし、ホワイトボード機能、バーチャル背景も無料で使えるので、個人で利用するには申し分ありません。

意外に便利なのがブレイクアウトルーム。たとえば10人で会議していて一旦別々でミーティングしたい時、小グループに参加者を分割してそれぞれのグループで別々に打ち合わせをすることができます。「個別に30分ミーティングしてからもう一度話し合おう」など、議論を持ち帰らずに進展させていけるので、工夫次第でムダな会議をどんどん減らせます。ちなみにホストはブレイクアウトの開始や終了を操作できてグループ間の移動もできます。こちらもなんと無料です。

多機能なので使いこなせるよう、いろいろ触っておきましょう。

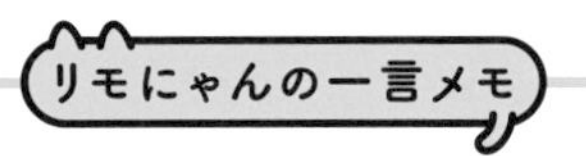

CPUやメモリを多く消費するので 重たい時は別のソフトを終了させておくにゃ！

＼ 使いやすくて万能！ ／

Google Meetの活用法

Google Meetとは

- 無料の Google ユーザーでも基本機能の利用可能
- Google ツールのためセキュリティが強力！
- Google カレンダー、Gmail、ドライブなど、Google の他のアプリケーションとシームレスに連携できる

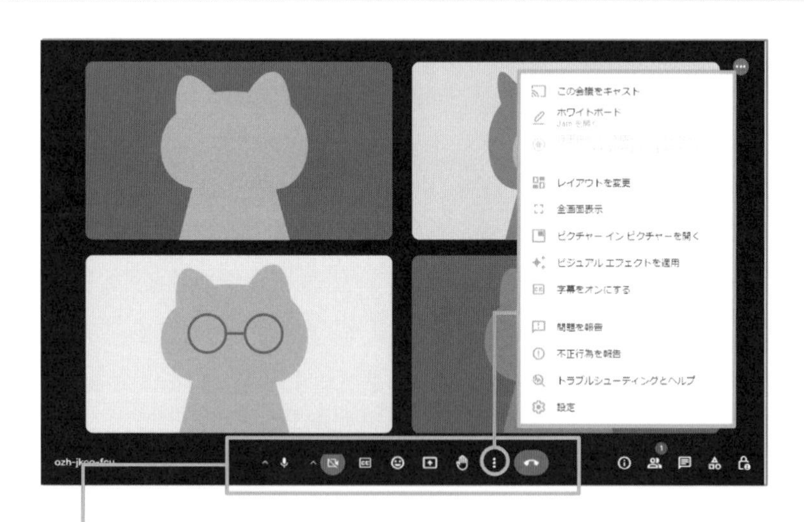

シンプルな操作画面で使いやすいにゃ

無料版でできること

通話 / 自動字幕生成 / 画面共有
ホワイトボード / 強制ミュートなど

※録画や保存などは有料版のみ可能

Googleカレンダー、Gmail Googleドライブとの連携力！

Googleが提供しているビデオ会議ツールがGoogle Meet。恐らくZoomと並んで使用頻度が高いツールです。

大きな魅力はなんといっても、GmailやGoogleカレンダー、Googleドライブとの行き来のしやすさ。**GmailやGoogleカレンダーからミーティングURLを即生成して、参加者に自動的に招待メールを送り、相手もGoogleアカウントであればカレンダーイベントに挿入されますし、リマインド通知も設定できます。**Googleドライブを使っていれば、参加者全員が同じ資料をリアルタイムで確認しながらミーティングを行えます。録画もそのままドライブ上に残せるのも楽チンです。

ブラウザで起動するため特別なソフトをインストールする必要がなく、ミーティングの参加がURLクリックだけで可能。ソフトのアップデートも自動的に行われるから常に最新の機能とセキュリティで利用ができます。

敢えてデメリットを言うなら、Googleアカウントを使っていれば最高ですが、使っていないと利用頻度は低くなるかもしれません。相手の状況に合わせてZoomか選べるようになるとスマートです。

リモにゃんの一言メモ

ブラウザ起動なので、タブを減らせば接続も安定するにゃ！

＼知れば知るほど面白い！／

ChatGPTの活用法

ChatGPTとは

- OpenAIによって提供されるAIチャットボット
- インターネットに存在する情報を学習し、質問したことに対して対話形式で回答してくれる
- 日常会話から専門的な質問まで幅広く対応している

無料版でできること

メール文書作成／情報処理／資料作成の手伝い／アイデア出し
リサーチ／添削・校正／マニュアル作成／契約書作成／翻訳など

有料版にすると、自分だけのアシスタントAIもできるにゃ！

▶メールを送信してくれる
▶予定を教えてくれる
▶フォームを作ってくれる
▶プログラミング（コードを書いてもらえる）

時短ツールの神！ひとまず活用してみよう

アメリカのOpenAIが開発したChatGPTはニュースでも話題ですよね。

2022年に公開され、人間のような自然な会話ができるAIチャットサービスとして今では企業でも活用されはじめています。

技術的な質問、翻訳、論文の要約をはじめとした情報収集や、データ比較など、普段多くの時間を使ってしまう細かい作業はほぼこれで解決します。

ChatGPTには無料版と有料版がありますが、基本的なチャット機能は無料でも使えます。簡単な取り入れ方としてオススメなのは、仕事で煮詰まった時に話しかけて考え方の整理をすることです。

パソコンの場合Google Chromeの拡張ツール「Voice In」を入れれば精度の高い音声入力ができます。例えば、「取引先を怒らせてしまった。謝罪メールを考えてほしい」などと話しかけると、仮のメール文や埋めるべき項目を提案してくれるという仕組みです。

有料版の場合は対話をしながら画像を作れたり、複雑なデータ分析、レポート生成、高度なカスタマーサポートなども可能です。

友達に話しかけるような感覚でほんの5分でも使うだけで、想像以上の答えが返ってくるのがChatGPTの長所です。

この先、生成AIはもっと進化していき、使えないこと自体が仕事の妨げになるシーンも出てくるかもしれません。今のうちに取り入れることをおすすめします。何を指示すべきかわからない場合は、ゴールシークプロンプトという手法でAIにゴールや手順を聞くのもオススメです。

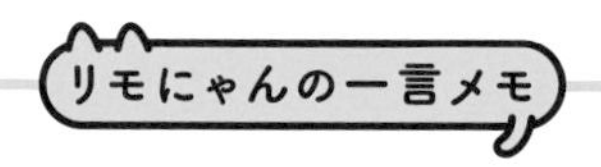

AIでさらに時間削減を目指すにゃ！

\ 撮影した動画をスグ共有可能! /

Loomの活用法

Loom(ルーム)とは

- 音声と画面録画で情報共有するツール
- 動画はダウンロードすることなくURLで共有できる
- 見た人はコメントやリアクションを送れる

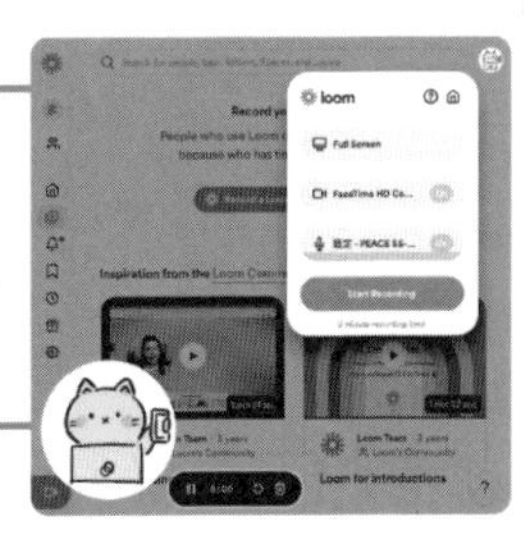

こんな時に使える!

メリット 好きな時間に見られるので、ただ報告をするだけのムダな会議がなくなる!

文章や言葉よりもわかりやすい動画を簡単につくれるLoomに注目！

相手にどう伝えるかのひとつの方法として覚えておくとよいのがビデオメッセージングツール。Loomは画面録画やカメラを通じてメッセージを録画して共有ができます。

一番利用しやすいシーンとしては、ニュアンスを伝えたいとき。メールや資料だけでは読み取れない、その裏にあるメッセージをビデオを通じて伝えられます。**メールベースだと感情を省き情報を第一に伝えがちなところを、Loomでは感情を込めて相手に話しかけることができます。**「建てつけは○○だけど、狙いは△△なんです」のような含みを正確に伝えられるので、プロジェクトチーム全体に同じ意思を伝えたいときに便利です。また逆に、全体会議でまとまったものをチームごとに持ち帰ったとき、噛み砕いて説明したいときにも使いやすいです。

対面やオンラインミーティングのようにチームメンバーやクライアントと候補日を出して時間を合わせる必要がないのもいいところ。さらに日本と海外で仕事をする場合に出てくる時差問題も気にしなくてよいので利用するタイミングも増えます。

ビデオメッセージだと見るほうが負担に感じるかもしれませんがそこは安心。Loomは再生速度を0.5倍速から2倍速まで調整して自分の都合に合わせて情報を得られます。

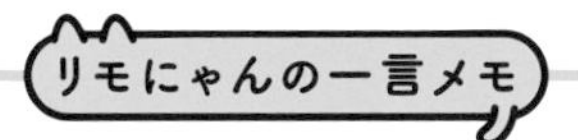

相手の用件に応じて使えるとお互い時短になるにゃ！

いつも仕事に追われてにゃい？
そんな時はタスク管理を
見直してみるといいにゃ！

仕事に追われないタスク・プロジェクト管理術

\ 違いがわかれば仕事もしやすく /

タスクとプロジェクトの違い

タスク

- ☑ 必ず期限がある
- ☑ 必ず終わらせなければならない

プロジェクト

- ☑ 目的達成のため組織的に取り組む
- ☑ 目標、期間、業務範囲、予算が設定される

例：イベントプロジェクトの進行

タスクがパズルのピースのように合わさることでプロジェクトが完成する！

覚えておくべきことはただひとつ！
プロジェクト＝タスクの集合体

日々の仕事において、タスクだけを把握して指示を受けたことだけやる人が実はすごく多いです。**タスクはプロジェクトから発生するもので、タスクがパズルのようにつながって大きなプロジェクトになる**ということを把握していないと、自分のタスクがどれだけ周りに影響しているか理解できないまま迷惑をかける危険性があります。

例えばプロジェクトが運動会だった場合、出し物や用意するもの、スケジュールの流れを決めることがタスクとなります。このようにプロジェクトは全体の取り組みで、その取り組みを実現するためのひとつひとつの作業がタスクと言えます。

ちなみにプロジェクトには運動会のような単発ものとSNS運用のように続いていく継続ものの2種類があります。どちらも目標や期間、業務範囲や予算などが設定されていることに違いはなく、それぞれにタスクが発生します。

タスクのバトンリレーにおいて、誰かが遅れたりミスをすると前後の人やプロジェクト全体に影響してくるということを常に意識することこそ、仕事の目的を万全に達成するために大事です。

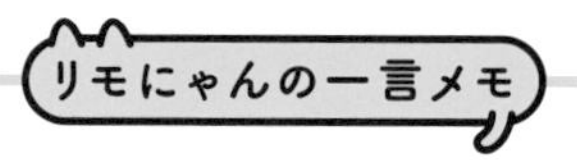

**ひとつひとつのタスクをつなげて
プロジェクトを成功させていくにゃ！**

＼理解して効率UP！／

タスク管理の基礎 優先順位を理解しよう

重要度（高）

緊急度（高）

緊急かつ重要

・クレーム対応
・納期ギリギリの仕事 etc...

緊急ではないが重要

・サービスの改善
・将来の目標 etc...

緊急だけど重要ではない

・突然の来客
・飲み会の幹事 etc...

緊急でも重要でもない

・オフィスのデコレーション
・社員主催イベント etc...

緊急度（低）

重要度（低）

優先順位を把握できていないと、自分の先にある作業が滞ってしまうにゃ
だからこそ、人が関わることを最優先にするにゃ！

すべては平等ではない！
緊急度・重要度を把握すべし

そもそもタスクには緊急度と重要度があり、どちらも高ければ高いほどトラブル案件だったりします。このトラブルをなくすためには先回りが必要で、あらかじめ優先順位を把握しつつ工夫することで緊急かつ重要な仕事が少なくなっていきます。

例えば、取引先からの突然の電話（＝緊急）で週明けの仕事内容の確認をされた場合、この仕事の中身自体は重要ではないため今すぐやる必要はないと自分で判断できます。突然の来客、会食の幹事などもそうです。何が緊急で何が重要なのか、きちんと把握すれば物事をスムーズに進められます。突然の来客であれば用件のみで完了させる、会食であればあらかじめNGな場所・食べ物を把握しておくなどしておけば、ひと手間がなくなり少しは時間が省けます。

会議に必要なリサーチや集客活動など緊急度は低くても重要度が高い仕事は先回りして少しずつ動いておくのがポイントです。こういうものは進める中でだいたい疑問点や壁が出てきます。「調べていると○○の点が気になって……」といった議題にかけるべき要素が見つかったり、「あの件どうなった？」と上司に突然聞かれた時でも、ある程度感触を伝えられるので直前で焦る必要がなくなってきます。

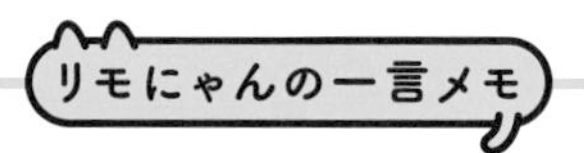

緊急度は低いけど、重要度は高い！
優先すべきタスクはこれにゃ。

＼デキる人の準備の基準！／

仕事は準備が9割

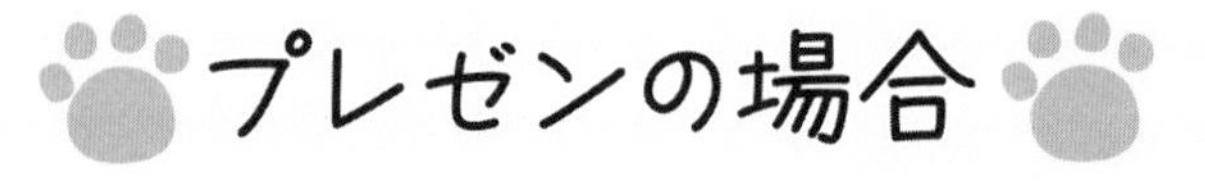

プレゼンの場合

前日までにやること	当日やること
①プレゼンの目的を確定する	①あとは喋るだけにゃ！
②ターゲットを分析する	
③リサーチや調査をする	
④構成を決定する	
⑤台本をライティングする	
⑥図解やグラフを入れる	
⑦リハーサルをする	
⑧質疑応答の準備をする	
⑨機材チェックや動作確認をする	

仕事を成功させるための黄金バランスは準備9割、本番1割の力の出し方にあり

どんな仕事にも準備と本番があります。準備を徹底することが本番の成功に直結するという考え方は頭に叩き込むといいでしょう。たとえば本を作る場合の本番は執筆で、準備は執筆のための取材、資料集めです。きちんとした準備ができていないといざ執筆となったときボンヤリした内容になるのは目に見えています。仕事だとプレゼンがいい例です。

準備が必要な理由は、自信を増やすため。本番の緊張や不安を事前に取り除ける上、その自信が相手にも伝わりやすくなります。

入念な準備を行うには図解の①から⑨が大事。メンバー全員が同じ方向を向いて働けるよう、事前に目的や役割分担をしておけば各自協力体制が整います。リサーチを行えばより正確な意思決定が可能になります。それは、ムダな作業を避け、より具体的なスケジュールや必要なものを整理できたり、チームの時間やエネルギーを最適に活用できるということです。最悪、予期しない問題が発生した場合でも計画的に対応できるため、失敗のリスクも減らすことにつながっています。

慣れないうちは、本番を楽観視して準備は前日につめれば大丈夫と考えがちですが、準備さえしっかりしておけば、本番は成功！といっても過言ではありません。

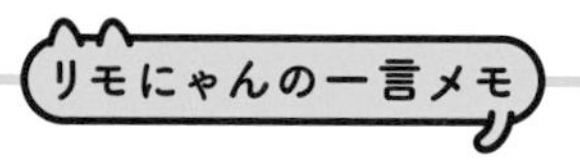

用意周到な準備は
すべての仕事を加速させるにゃ！

＼仕事への向き合い方が変化！／

先送りグセを直すには「完璧」ではなく「完了」

仕事の場合は完了主義の方がうまく運ぶケースもあるにゃ！

100点を取らなくてもいい パスを回す考え方で！

日本人は完璧主義が多く、「仕事はきっちりと満足するまでやらないと納得いかない」と考えがちです。だけど**チームや組織の中で仕事をする上では完了主義の考え方が大切です。**

完了主義のいいところはストレスが減ること。完璧主義は自分にも相手にも高いハードルを作っていつも満足できない状態に陥りがちですが、**完了主義はタスクを速やかに終わらせることに重きを置くので、無駄なプレッシャーから解放されやすいです。**

すぐにタスクを終わらせられる考え方は、自分の仕事を終えて次に回せたという達成感も得やすくモチベーションも上がりやすくなります。さまざまなセクションで問題点は出てくるものなので、自分の中では60点のものだとしても一度他の人に回していく意識のほうが大事というわけです。**最初から100点を目指さず、さまざまな人の意見を通して100点に近づける意識を持った**完了主義のほうが、何かとうまくいくケースが多いです。

そうやって慣れてくると、ひとつの物事に固執する完璧主義者とは違い、目的の達成のためであれば手段を変えてもOKという考え方も身についてきて、結果全体的な生産性が前よりも増えていた、なんてことにつながっていきます。

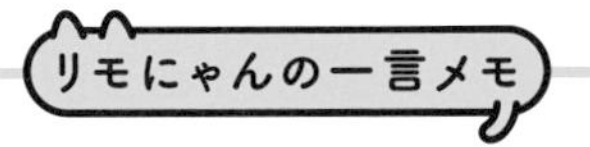

期間内にとりあえず完了させれば案外うまくいくものにゃ！

＼これがわかればやる気アップ！／

72時間の法則を知れば行動も変わる

思い立って72時間以内に行動しない人は永遠に行動しないという法則にゃ

毎日図解を作るにゃ

72時間以内に行動する

72時間後何もしない

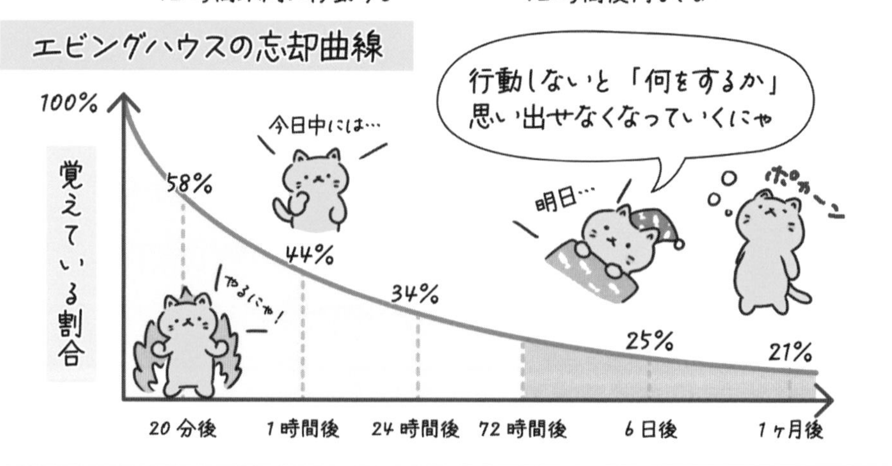

やってみよう！と思ったら忘れる前にすぐ行動に移すにゃ！

やろうと思った瞬間からの72時間で仕事のできる・できないは決まる！

会議や打ち合わせが終わってタスクが発生したら、そのときの流れや雰囲気を把握しているうちにアクションを起こすほうが内容を鮮明に覚えているのでプラスに働きやすいです。

逆に、何かをしようと決断した際に72時間以内に行動を起こさないと、その後に行動する可能性が劇的に減少すると言われています。頭ではわかっていてもつい後回しにしてしまう人は「72時間の法則」を意識しましょう。

他にも、ドイツの心理学者ヘルマン・エビングハウスが時間と記憶の相関関係における実験を行った際、「人間は一度覚えたことでも復習しないと1ヶ月後にはほとんど忘れてしまう」という研究結果を出しています。

何が言いたいかというと、**「人は忘れる生き物」だと把握をした上で行動に重きを置こうということです。会議が終わったらすぐにタスクに落とし込んだり、身につけたいスキルがあればくり返して復習をすることで定着させていくことが成功につながる鍵となります。**

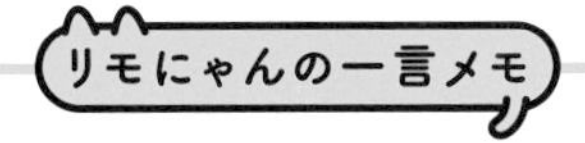

仕事でも、鉄は熱いうちに打て！の精神でやるべきことを済ますのがシゴデキの証にゃ。

＼ 読むだけでシゴデキ！ ／

ミスを起こさない工夫

ミスを起こしにくくする仕組みは自分で作れるにゃ
ミスばかりで落ち込む ...，そんなときに参考にしてにゃ！

作業工程を見直す

もっとカンタンに
できる方法はないにゃ？

Wチェックを欠かさない

1人では気付けない
こともあるにゃ

AIを活用する

誤字脱字チェックを
してくれるにゃ

短期集中にシフトする

30分で一息つくにゃ

整理整頓する

PC周りはキレイにするにゃ

メモをとる

記録して見返して
記憶するのが
おすすめにゃ

パソコンのフォルダを整理する

一定のルールを
決めると良いにゃ

報連相を欠かさない

変更や疑問は
すぐに確認にゃ
曖昧な表現は
避けるにゃ

複数タスクを行わない

1人でいくつも抱えると
ミスに繋がりやすいにゃ

気分転換タイムを死守する

リラックスタイムを
とった方が
集中力が上がるにゃ

ミスに落ち込む暇はない 次にできる施策を考えよう

仕事でミスをしてしまったとき、まず大切なのは自分を責めないことです。ミスは誰にでも起こるものなので、その経験から学び成長することができます。

ここで重要なのは、起きたことは事実として捉えて『仕組みで解決していくこと』です。ミスをしたからこそ、次に同じ過ちを繰り返さないために何ができるかを考えましょう。

また、その原因を冷静に分析することが重要です。感情的にならず、どのような状況でミスが起こったのかを客観的に見つめ直すことで、具体的な改善点を見つけることができます。

周りの人に相談することも有効です。自分だけでは気づかない視点やアドバイスをもらうことで、新たな発見があるかもしれません。

最後に、ミスを恐れずに前向きに取り組むことが大切です。ミスを恐れて消極的になるのではなく、失敗を糧にして挑戦し続ける姿勢が、仕事の質を上げていく鍵になります。

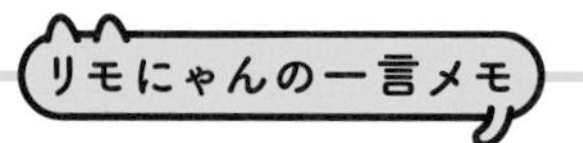

起こったミスに落ち込まないで 仕組みで解決しようにゃ！

＼ギリギリ派はコレを読んで解決！／

期限を必ず守るコツ

1 逆算してみる

優先順位が低くなっていないか、本当にこのペースでやりたいことが実現するか再確認する

2 ご褒美を設ける

いつもよりちょっといいご褒美を用意してやる気を上げる

3 宣言する

具体的な期限を設けてその日までに必ず達成すると宣言する
逃げられない状況を自ら作る！

4 ゾッとしてみる

締め切りに遅れた自分がどうなるか想像してゾっとしてみる

5 タスクを小分けにしてハードルを下げる

やるべきことを行動一つレベルで細分化してタスクにする

「図解作成」細分化の例…

内容リサーチ ▶ 要素書き出し ▶ ラフ画 ▶ 清書 ▶ 投稿

6 締切間近に約束を入れる

提出日前日に人と会う約束をあえて入れると、間に合わせるために頑張っちゃう

7 人に頼る

自分でやるには難しいのかも。先延ばしになる原因の部分を人に頼んでみる

8 敢えてギリギリでやる

周りに迷惑をかけないように要注意にゃ！

目標設定は3点セット！

最初にお伝えすると、「目的」と「目標」は別物です。目的は理想の人生に向かうための軸で、目標はそこに向かうまでの中間地点です。

目標には、「要素」「数値」「期限」の3つがセットになります。

例えば、「夕食のカレーライス（要素）3人分（数値）を19時までに作る（期限）」という感じで、何をどれくらいいつまでに、というのが明確になっている状態がベストです。

仕事でも同じように、「営業のアポイント100件を1ヶ月後までに獲得する」と置き換えることができますよね。

ただ期限を決めたとしても、なかなか早めに着手できなかったり、ついギリギリになったりしてしまうのが人間です。
そんな時には左の図解にあるいくつかの方法を取り入れてみるのがおすすめです。

自分に合った方法を取り入れて、いつもギリギリになってしまう習慣を抜け出しましょう！

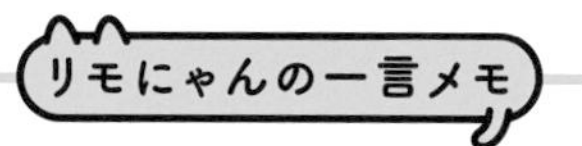

**決めたことを実行する手段は
いっぱいあるからやってみてにゃ！**

＼わかりやすく可視化！／

頭がぐちゃぐちゃの方に！マインドマップの活用法

▶マインドマップって何？

情報やアイデアを視覚的に整理するノート術！
メインテーマから関連トピックを枝状に広げ、複雑な内容を直感的に理解し、時短で思考整理することができる

紙でもデジタルでも使えるテクニックにゃ

使えるシーンの例

1 目標計画	2 タスク管理
3 議題の整理	4 アイデアのブレインストーミング
5 プレゼン準備	6 ブログの設計
7 買い物計画	8 イベント準備

▶作り方

①メインテーマを決める	②関連テーマを広げる	③さらに細分化する
例 売上を2倍にする施策	SNS	Instagram
		YouTube
	メディア	テレビCM
		雑誌広告
	営業	チラシ配り
		名刺配り

縦で粒度が揃っていることが重要にゃ

マインドマップを作れば頭はスッキリ、明確に！

マインドマップとは、頭の中で浮かんだアイデアを書き出すことで記憶の整理やさらなる発想をしやすくするものです。つまり、頭で考えていることがグチャグチャにならないようにノート化しようということです。このマインドマップを活用することで頭の中がきちんと整理されて、ひとつのプロジェクトを達成するために何をやればいいかが明確になっていきます。

例えば、ある商品の売上を2倍にするというプロジェクトがあった場合はSNS発信を増やす→メディアにPRする→営業を強化する、といった具合に**どんどん枝分かれさせていくことで、やるべきことやらなくていいことがハッキリとしていきます。**そしてすべてがつながったとき大元のプロジェクトにつながっていくことが可視化されるため、プロジェクトに関わっている人にも共有しやすくなります。

また、**みんなでドライブ上でマインドマップを共有すれば今の時点で何が足りないかの見極めもつきやすくなり、全体図もわかりやすくなります。**結果、タスクが効率化することにつながります。

ちなみに、マインドマップはMindMisterやMiroなど無料で作れるツールが様々あります。

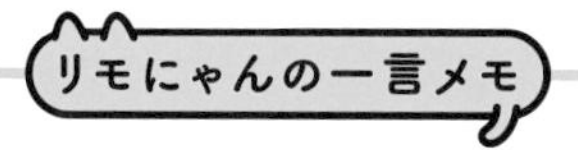

やることがたくさんある人はマインドマップで頭と心を整頓にゃ！

＼効率化を図る万能ツール！／

プロジェクトを徹底管理！ガントチャート活用法

予定を共有してスケジュールを確認しながら進められる工程表。
縦軸に「タスク」「作業内容」「担当者」
横軸に「日時」「期間やスケジュール」を入れる。

タスクのタイトル	担当	期限	タスク完了率
友達と釣りに行くにゃ！			
釣りたい魚を決める	リモにゃん	23年 8月 21日	100%
場所を決める	リモにゃん	23年 8月 22日	100%
周辺のトイレや店舗チェック	リモにゃん	23年 8月 23日	90%
行き方を調べる	ネガにゃん	23年 8月 24日	40%
釣り道具を揃える	ネガにゃん	23年 8月 25日	70%
服の準備	リモにゃん	23年 8月 26日	60%
餌の準備	ネガにゃん	23年 8月 27日	50%

フェー… 第１週 月 火 水 木 金 月 火

遅れてるにゃ

スプレッドシートのテンプレにも入ってるからすぐに作れるにゃ！

メリット❶ 計画を促進できる

今、誰待ちでどの工程をいつまでにやるか丸わかり！

メリット❷ チームを把握しやすい

プロジェクトの見える化で自分が関わっていない部分の動きもわかる！

メリット❸ 誰にでも情報共有できる

後からチームに入った人にも状況を伝えやすい！

ガントチャートおすすめツール

2024年5月時点

- スプレッドシート…無料
- Brabio!…5人まで無料
- Backlog…30日間無料
- Smartsheet…30日間無料
- Redmine…無料プランあり
- Sharegantt…無料プランあり
- Asana…10人まで無料
- Wrike…無料プランあり

お仕事の見える化で捗るにゃ！

相手の動きも自分の動きもわかる ガントチャートで仕事のしやすさ10倍

ガントチャートとは、プロジェクト管理や生産管理などあらゆる管理工程において誰がいつまでに何をすべきか、そしてそれは着実に完了しているかをみんなで把握できるようにするための表のことです。つまりは進行表とかスケジュール表と同じです。そしてどんなプロジェクトでも使えるので1プロジェクトに1ガントチャート、がオススメです。

自分ひとりで完結するプロジェクトなら、タスク一覧を作るだけで済みますが、同じプロジェクトに複数人が関わってくるときはタスクを行うにあたり、自分や周りの人がいつ何をするべきかが可視化されていることにより、自分の出番や相手の出番も全員で共有できるので作業がとてもスムーズになります。

例えば、同じプロジェクトに関わっている人同士でも他の業務を進めている人の進行度合が分からなければ当事者に確認や質問をしないと状況を把握できないケースもありますが、ガントチャートで管理することによって連絡をとる時間も削減して生産性が上がります。

Excelやスプレッドシート、Notionで共有するほか、おすすめのツールはたくさんあるので実際に使ってみてプロジェクトに合うものを選びましょう。

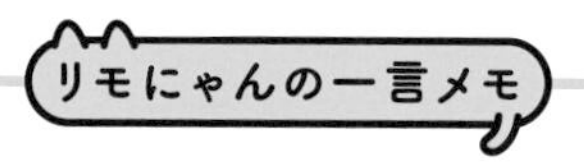

**ひと目で何をすべきかがわかる
ガントチャートは作らないと損にゃ！**

＼一定の品質を担保！／

徹底したマニュアル化でチーム化に備える

チームで仕事をする場合、思い通りにいかない時もあるにゃ
そんな時はマニュアル化して業務を改善してみるにゃ

マニュアル化のメリット

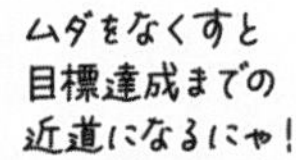

業務の効率化

品質の均一化

教育の仕組み化

業務の見える化

マニュアル作りの手順

逆算して考えるにゃ

STEP01
目的設定
・読み手に何を伝えるか
・どんなことを伝達、改善したいか
・どうしたら読みやすくなるか

担当者だからこそわかることがあるんだにゃ～

STEP02
業務整理
・業務ごとの担当者にヒアリングする
・業務をフロー化する

STEP03
作成
・結論を短く冒頭に記載する
・図や画像を使って流れをわかりやすくする
・作成日と更新日を記入する

STEP04
活用
・実際に使用する
・気になる点はメモをして共有する

STEP05
改善
・目的を達成できているかを基準に改善点があれば都度、更新する

マニュアルをより使いやすくするためには
【検索】に対応させておくと良いにゃ！

失敗を防いでよりよく改善するための マニュアルでみんなの安心を確保！

タスクにおいても、プロジェクトにおいてもただ完了すればいいわけではなく、「これぐらいの品質は確保したい」という目標は必ずあります。それをチームでわかりやすく共有して、実現させていくために必要なのがマニュアルです。

マニュアルがあることで、「ただのタスク完了」から「基準を満たしたタスクが完了しました」にアップデートが可能になります。マニュアルをチーム全員で共有すればひとつひとつのタスクの質が保証されていくので、ミスの発生率も下がっていくわけです。

決まった手順があるということは、新しいスタッフや未経験者が入った場合でも必要な知識やスキルを効率よく学べるということ。指導にかかる時間も省けます。また、問題が発生した場合にもマニュアルを参照できれば誰かの手を借りることなく解決でき、大きなトラブルも未然に防げるメリットもあります。こういった知識はマニュアルに追加して蓄積していくと、より精度の高いマニュアルが出来上がっていきます。

ただ注意も必要で、あまりに依存しすぎると「マニュアル人間」になってしまいます。自ら考える機会が減ると問題解決能力や状況に応じた柔軟な解決策が出てこなくなることも。あまり厳格になりすぎず、適度に作ることもマニュアルのポイントです。

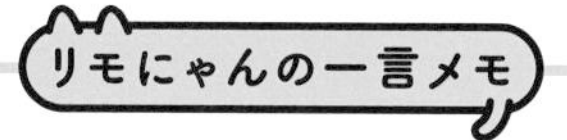

全員でマニュアルを把握することで
質のいいプロジェクトに仕上げるにゃ！

できると差がつく
気遣いのコツを
たくさん解説したにゃよ！

Chapter 4

人間関係が楽になるコミュニケーション術

＼上司との関係が円滑に！／

理想的な職場は自然なほうれんそう

仕事は人間関係！報告・連絡・相談がキホン

人間関係が楽になるコミュニケーションとはなんでしょう。職場でのコミュニケーションは、仕事や作業をスムーズに行うためにもとても重要なことです。**ここで肝に銘じておくのは、誰もが一度は聞いたことがあるホウ（＝報告）、レン（＝連絡）、ソウ（＝相談）の頭文字をとった、“ほうれんそう”です。**

「え、結局それ !?」と思うかもしれませんが、テクニックはいろいろあっても結局この基礎中の基礎“ほうれんそう”をしやすい環境こそが理想的な職場のコミュニケーションを作る極意です。ダメな例を見れば一目瞭然です。わからないことがあったとき聞きにくいから、と勝手に自分で判断して失敗をすると周りにも迷惑がかかって結局時間も無駄にしてしまいます。

これがわかっているようで誰もができないこと。とはいえ、何もかも聞きすぎるとそれはそれで相手の時間を無駄にしてしまう。だから、“ほうれんそう”すべき事柄の基準をあらかじめすり合わせておくと良いでしょう。

どの状態になったら報告すべきか、何を連絡すべきか、どんなことを相談すべきかをすり合わせておけば、そこから先に問題が起きても“ほうれんそう”しやすくなります。

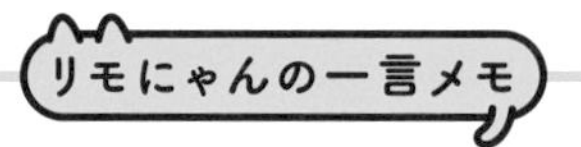

**ほうれんそうの基準を確認して
お互いに背中を預け合う関係が理想にゃ。**

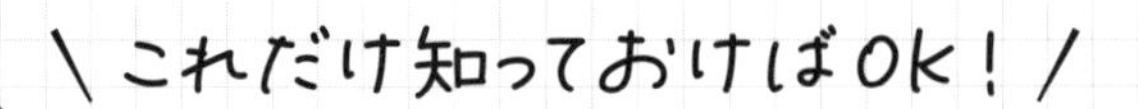

感じの良い自己紹介術

①名前 肩書も添える

はじめまして、リモラボ公式キャラクターのリモにゃんですにゃ

②現在の活動

数字を用いる

リモラボのコンテンツと図解資料のデザイン、イラスト描画を1,000件以上制作、発信してますにゃ

③活動理由

ストーリーを意識する

今までたくさんの失敗をしてきたので、この経験を共有して誰かの役に立ちたいと思ったにゃ

④思い

相手の価値観に合った言葉使いにする

本気でお仕事をしたい人に向けて学んだことを図解にしてるにゃ 成長できたのは反応をくれたみんなのおかげにゃ いつもありがとにゃ

⑤将来図

夢や好きなことを入れてみる

仕事を日本一わかりやすく解説するにゃんふるえんさーを目指してるにゃ！

リモにゃん

まとめ ①名前 ②現在の活動 ③活動理由 ④思い ⑤将来図

最後に時間を計って事前練習するにゃ！30秒、1分など数パターン用意して練習するのがオススメにゃ。

自己紹介はお通し

ビジネスにおいての人間関係を料理のフルコースに例えると、自己紹介はお通しです。

居酒屋で見た目も美しくて美味しいお通しが出てきたら、その後のメインやデザートまで楽しみになりますよね。

自己紹介でも「この人のことをもっと知りたい」「活動内容が気になる」という気持ちになってもらうことが重要です。ダラダラと長すぎたり、まとまりがないまま話したりするしてしまうと、相手はそれだけでお腹いっぱいになってしまいます。

左の①〜⑤の内容を1分で簡潔に伝えられるように何度も録画をしながら練習してみてください。

最初は恥ずかしいと思うかもしれないですが、やってみると下ばっかり向いてたとか、瞬きが多かったとか自分の癖がわかるので改善に繋がります。

様々なシーンで自己紹介をする機会が出てくるので、相手の属性や持ち時間合わせた複数の自己紹介パターンも考えておくと良いです。

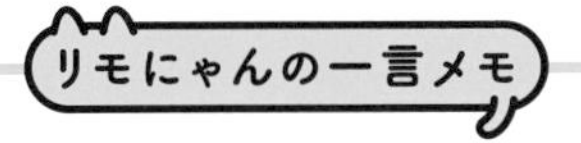

第一印象がうまくいく鍵になるにゃ。

＼細かいポイントも解説！／

職場の人間関係が良くなる ほうれんそうのおひたしの法則

「ほうれんそうのおひたし」は
お仕事におけるコミュニケーションで必要なポイントの
頭文字をとってまとめたものにゃ！

ほう 報告	れん 連絡	そう 相談
・タイミングよく ・わかりやすく ・言いにくいことも	・正確に ・遅れなく ・緊急時も落ち着いて	・相手を選んで ・具体的に ・1人で悩まない

お仕事をサクサク進めるための基本となる部分にゃ
1つ1つを大切にして、相手との良い関係に繋げるにゃ！

自分の得意分野や先陣をきるべき場面では特に意識して欲しいポイントにゃ
立場関係なく「ほうれんそうのおひたし」を意識することで
周りとの関係が良くなりお仕事のスピードアップにも繋がるにゃ！

コミュニケーション術で最も重要な ほうれんそうを円滑にするおひたし

“ほうれんそう”が理想的なコミュニケーションを作り出すために重要という話は前述のとおり。そしてこれを続けることで職場の環境はよりよくなっていきます。そしてこの“ほうれんそう”を意識し合えるためにもうひとつ覚えておきたい言葉があります。

それが“おひたし”です。

お（怒らない）、ひ（否定しない）、た（助ける）、し（指示する）は報告があった際、すぐに怒ること、否定することはせず、手を差し伸べて助ける。そして、そのあと何をすべきかを明確に指示することで次回からも“ほうれんそう”を続けられるのです。

ダメ上司のあるあるとして「いい感じにやっておいてー」という指示がありますが、これはＮＧです。いい感じも受け止めるレベルは人それぞれだからこそ、明確に指示を与えることで信頼し合える関係が作れます。これは対上司にも使えるお話で、怒らず否定せず、助ける気持ちで誘導するのも部下のテクニックです。

“ほうれんそう”に付随する“おひたし”もしっかりと覚えて、理想的なコミュニケーションが続く職場づくりを目指すべきです。

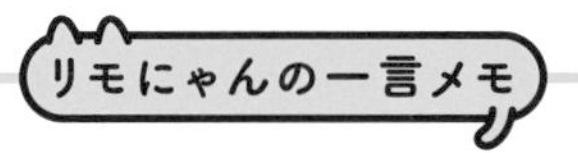

ほうれんそうのおひたしで人間関係も 仕事のスピードもいい方向に進むにゃ！

＼事前チェックで効率UP！／

仕事を受ける際の円滑チェックポイント

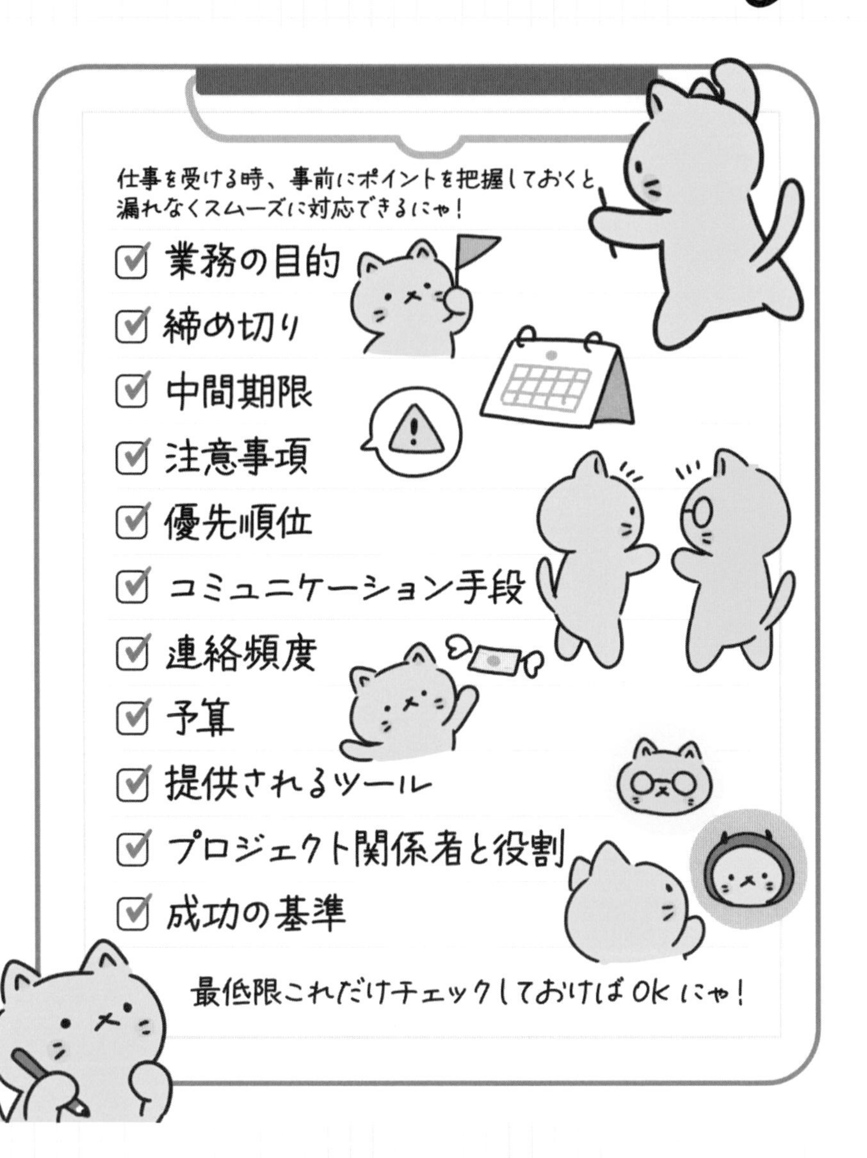

誤解を生まないための5W1Hで気になる問題を潰していく

仕事内容はきちんと把握するのがコミュニケーション上手の第一歩。あとになって「そんなつもりじゃなかった」というお話にならないよう、問題になりそうなところは最初に解決しておきましょう。そこで、最初にチェックすべきポイントが図解のとおり。考え方は「5W1H」です。

When・・・いつ
Where・・・どこで
Who・・・誰が
What・・・何を
Why・・・なぜ
How・・・どのように

これらの「5W1H」を議事録などで具体化させることで、仕事の目的をきちんと把握できます。また、コピーしてチーム全体に共有すれば誰かが何かを聞き逃していても確認しやすいし、失敗も防げます。

仕事ができる人は「5W1H」を把握しているので、質問にもすぐ対処できるし、全体の流れも見られます。仕事を引き受ける前に最低限のチェックポイントを理解して、円滑に仕事を進められる環境を自ら作りだせば、結果的にチーム全員が安心できます。

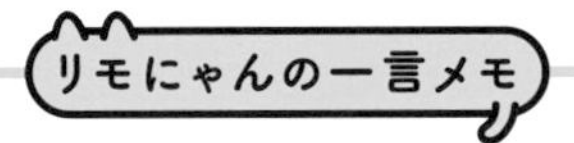

5W1Hをより具体化したのが左の図解だから使ってにゃ！

＼感謝の大切さを再確認！／

感謝の時間軸の話

子ども時代

仕事でも同じ

社会人

感謝の気持ちが生まれるには時間がかかるものだと知っておくにゃ！

感謝には時間差があることを知ろう

　仕事のミスを指摘されたとき、嫌な気持ちになったことは誰しもがあるのではないでしょうか？　それが普通の感情なのですが、捉え方次第で人からの指摘を「ありがたい」と感謝ができるようになります。

　それが「感謝の時間軸」という考え方です。**感謝をするまでに人は時間がかかります。それは幼少期に親に「宿題をやったか」としつこく確認された時の感覚に似ています。後々「自分のために言ってくれていたんだ」と気づくことってありますよね。**

　これは仕事でも同じです。上司によって言い方に強さの違いはあっても、自分のためにと捉えることで前向きに成長することができます。「ご指摘いただきありがとうございます。次回以降このようなことがないように〜して対策します」とさらっと返すことで爽やかな雰囲気を保つこともできます。

　むしろ上下関係に関わらず気づいたことをお互いに気を使わずに言い合える、そんな関係って素敵ですよね。

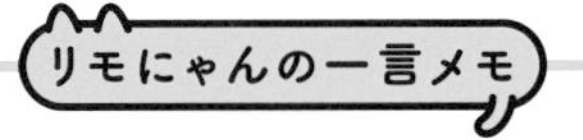

感謝には時間差があることを意識して
良い雰囲気作りを心がけようにゃ！

＼今日から即利用可能！／

脱ネガティブな言い方！ポジティブ表現変換集

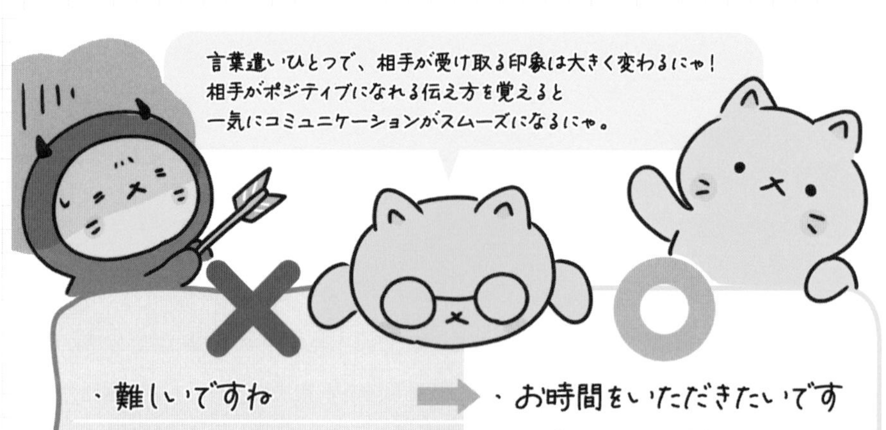

×	○
・難しいですね	・お時間をいただきたいです
・イマイチですね	・改善の余地がありますね
・大変ですね	・取り組み甲斐がありますね
・やめてください	・避けていただけると幸いです
・向いてないです	・別の分野でバリューを発揮できそうですね
・今、忙しいです	・この範囲であれば可能です
・使ったことがありません	・初めての取り組みですが挑戦してみます
・その日は難しいです	・この期日でしたら一部対応可能です
・どうやって進めますか？	・このように進めるのはいかがですか？

言葉の力で築く信頼関係
互いを尊重するコミュニケーション術

仕事におけるコミュニケーションで、人を傷つけない言葉を選ぶことは非常に重要です。

まず、人を傷つけない言葉を選ぶことで、同僚や上司との関係が良好になります。職場は多くの人と協力して成果を上げる場所です。**相手に対して配慮のある言葉を使うことで、相手もあなたに対して同じように接するようになります。これにより、信頼関係が築かれ、チーム全体のパフォーマンスが向上します。**

また、適切な言葉選びは誤解やトラブルを避けるためにも重要です。誤ったメッセージが原因で無駄なトラブルが発生することもあるからです。特に、メールやチャットなどのテキストコミュニケーションでは、言葉のニュアンスが伝わりにくいため、一層慎重な言葉選びが求められます。

さらに、言葉遣いはあなた自身の印象にも大きく影響します。普段から配慮のある言葉を使うことで、周りからの信頼や評価が高まります。

感謝や敬意を示す言葉を積極的に使っていきましょう。

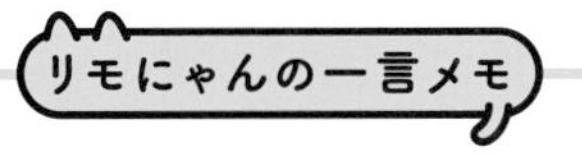

**相手の立場を考えた
言葉づかいを意識しようにゃ！**

＼断るときも感じよく！／

相手と長続きする！穏やかな断り方集

正直にお断りの旨を伝える

まずは感謝の気持ちを伝える

残念だという気持ちを伝える

断ることはマイナスな印象を与えがち。相手を嫌な気持ちにさせない断り方をマスターして、次につながる関係を作るのが上手なやり方にゃ！

早めに伝える

お断りする理由を伝える

断りによって生じる困りごとをカバーする

代替案を交渉してみる

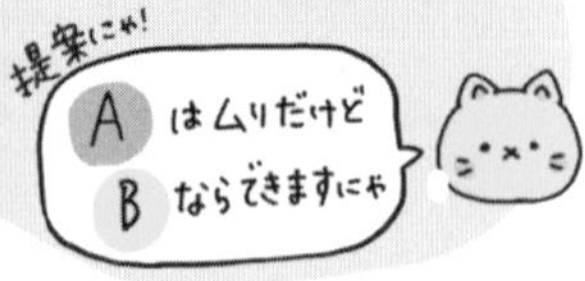

また依頼して欲しいことを伝える

必要に応じて話し合いの場を設ける

やさしく断って、信頼を築く

相手を嫌な気持ちにさせない断り方を心がけることで、ビジネスや人間関係において長期的に信頼を築くことができます。感謝の気持ちを伝えることで、相手は自分の意見や提案が尊重されていると感じ、ポジティブな印象を持つことができます。「ご提案ありがとうございます」といった言葉は、相手の努力や時間に対する感謝を示し、コミュニケーションのスタートを良いものにします。

また、**断った後もフォローアップを行うことで、継続的なコミュニケーションを保つことができます。「その後いかがですか？」や「お役に立てることがあれば教えてください」といったメッセージを送ることで、相手との関係をより深めることができます。これにより、今後の仕事や人間関係においても、協力的で円滑なコミュニケーションを保つことができ、信頼関係を長期的に築くことができます。**

ビジネスの現場ではやむを得ないお断りの場面が意外に多いものです。円滑なお断りのテクニックを知っているだけで、今後の人間関係や仕事がもっとスムーズになることでしょう。長期的なお付き合いができる関係構築を意識しましょう。

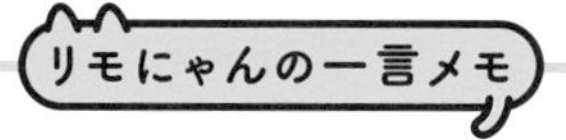

**断る言葉選びでも
相手目線を大事にしようにゃ！**

＼覚えておくと超便利！／

褒められたら感謝！相手も嬉しい返答集

褒められた時「いえいえ、全然にゃ」と謙遜しすぎてにゃい？
今日は感謝を示しつつ自然で謙虚な印象を持たれる返答をまとめたにゃ
いろいろな返答パターンを知っておくと役立つにゃ♪

そんなこと
ないですにゃ～

よく使う返答集

ありがとう。そう言ってもらえると嬉しいです。	○○さんのサポートがあったからこそです。ありがとうございます。
そんな風に言ってもらえると嬉しいです。	とても嬉しいです。皆さんと一緒に働けて幸せです。
ありがとうございます。頑張った甲斐がありました！	褒めていただき恐縮です。みんなで力を合わせた結果ですね。
励みになります。感謝しています。	お言葉に甘えて、もっと成長できるよう努力します。
○○さんのような方にそう言っていただけると本当に励まされます。	そのように評価していただけると思ってませんでした。ありがとうございます。
本当に？それを聞けて良かったです。ありがとうございます。	皆さんのおかげです。チームワークが良いとこんなに褒めてもらえるんですね。
嬉しいフィードバックをありがとう。これからも頑張ります！	励ましの言葉、心に沁みます。この調子で頑張りたいと思います。
褒めていただき、ありがとうございます。一生懸命やっている甲斐がありますね。	嬉しいです。ありがとうございます。これを励みにさらに精進します。
そう言っていただけると自信がつきます。ありがとうございます。	あなたの支援があってこそです。感謝しています。
努力を認めてもらえて嬉しいです。	素敵なコメントをありがとうございます。これからも期待に応えられるよう頑張ります。

おまけ 上級編

- うれしい！ありがとうございます
- あ、やっと気付きましたか？
- もちろんですとも、お任せ下さい
- 当たり前ですよ～！
- え！聞こえなかったのでもう1回言って下さい！笑

褒めていただけたことには素直に受け取るべし

褒められたときに謙遜せずに素直に受け取ることは、職場での人間関係に多くのメリットをもたらします。まず、**褒め言葉を素直に受け取ることで、自分の努力や成果を認めることができ、自己肯定感のアップにもつながります。自信を持って仕事に取り組む姿勢が生まれ、結果としてパフォーマンスの向上にもつながっていくのです。**

他にも、以下のようなメリットがあります。

・個人のスキル向上につながる
・他の人にも良い影響を与える
・自信を持って仕事に取り組める
・周囲のモチベーションが高まる
・キャリアアップの機会が増える
・自分の強みや成功体験を意識できる
・ポジティブなコミュニケーションが増える

総じて、褒められた時のポジティブな反応は、自分にとってはもちろん、相手の気持ちを尊重することにもなり、お互いにとって大きなメリットがあります。

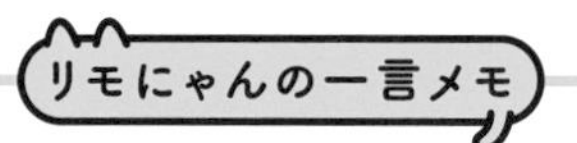

素直に言葉を受け取って
ポジティブな輪をつくろうにゃ！

\ コレでコミュ力アップ！ /

コミュ力が高い人が無意識にやっていること

ネームコーリング

相手の名前を呼ぶにゃ

フォローアップ・クエスチョン

「質問」で相手の話を引き出すにゃ

ペーシング

相手の真似をするにゃ
（同じタイミングでコーヒーを飲む）

バックトラッキング

相手の言葉を繰り返すにゃ

スマイル・ノッド・カップリング

「笑顔」と「うなずき」にゃ

ボスにゃんと話すと
いつも上手に話を
引き出してくれるから
とっても気分がいいにゃ！

心理学を使った5つの方法を紹介したにゃ！やってみてにゃ

簡単だけど意外と難しい？
5つのテクニックでコミュニケーションをはかる！

　みなさんの周りにもコミュ力が高い人がいるはずで、なぜそんなにコミュ力があるのか不思議ということはありませんか？　そこでコミュ力が高い人が無意識にやっているテクニックを解説します。

　ネームコーリングは、名前を呼ばれるとポジティブな感情を抱くという心理学の原理に基づいたものです。自分がきちんと認識してもらっていることを確認できるので、顧客サービスの分野でも利用されています。

　フォローアップ・クエスチョンは、教育の分野でも使われる手法で、質問＝興味がある、とわかりやすく伝える手法です。しかも質問から新しい気づきも生まれ、会話のキャッチボールもしやすくなります。

　ページングは心理学や催眠療法などで使われていて、同じ動きをすると相手に安心感や親近感を与えることができます。次第に空気感も同じになって自然とコミュニケーションも取りやすくなります。

　バックトラッキングは、発言を繰り返すことで「話を聞いているよ」とアピールできます。自分を受け入れてもらった上で理解されていると思われるので、信頼関係も築きやすくなります。

　最後の**スマイル・ノッド・カップリング**は、言葉ではなく行動で同意や肯定を示すもの。オンラインミーティングでも効果的です。

　この5つをうまく使いこなせばコミュ力もアップします。

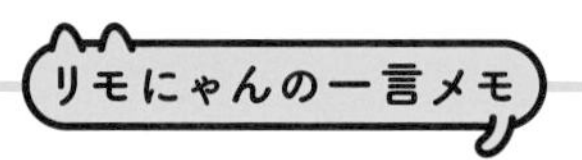

この人なら安心！と
相手に思わせたらOKにゃ！

＼無理をするのは禁物！／

1人で仕事を抱えないで お願い上手になるコツ

1人でお仕事抱えてにゃい？
そんな時は「お願い上手」になって
正確かつ効率的に業務を進めるにゃ！

1 明確な目的・理由

「何のために」がイメージしやすくなって
相手も協力しやすいにゃ

2 交換条件の提示

お互いにメリットが出るような
お願いの仕方をするにゃ

3 相手の時間を尊重

時間は有限だからコミュニケーションコストを
意識したお願いの仕方にするにゃ

4 丁寧な言葉遣い

親しき中にも礼儀ありにゃ！

5 相手の立場や都合

相手の状況を考えて、お願いする人や
タイミングを間違えないようにするにゃ

6 相手の能力を信頼

せっかくお願いできたのに結局自分で
やってしまうことが無いようにするにゃ！

相手もできない時があることを理解してお願いするにゃ
助けてもらった時には感謝の気持ちを忘れないでにゃ！

オーバーワークを回避する最大のコツは勇気を出して、周りにお願いすること！

周りへの配慮のつもりで、1人でお仕事を抱えて苦しくなったり、困ったりすることはありませんか？　これをオーバーワークと言って、**1人のオーバーワークが結果、仕事の遅れを生み、誰も幸せではなくなってしまう危険性があります。**

つまり、気持ちよく正確かつ効率的に業務を進めるためには時にお願い上手になる必要があるということを覚えるべきなのです。

ただし、お願いするためには相手の立場や気持ちを理解することが重要で、お互いに気持ちよくお願いごとをできる関係性づくりが基本になってくるので以下のことを念頭においてお願い上手になりましょう。

まずは言い方。「○○で困っているので、この部分だけお手伝いしてもらうのは可能でしょうか？」など丁寧に聞くこと。お願いするということは相手の時間を奪うからこそ、言い方には尊重の念を込めるべきです。そして、交換条件の提示も大事です。何かをお願いする代わりに、何かを引き受ける。このギブアンドテイクの提示で、相手もお願いごとを受けてくれやすくなります。

困って1人で立ち止まるより、誰かにお願いするほうが物事はスムーズかつ簡単に解決します。そして感謝の気持ちは忘れずに。

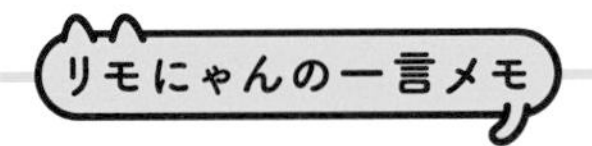

お互いに助け合えばいざというときも
時間を無駄にせず、スムーズに万事解決にゃ！

効果的なミーティングの
やり方を知っていると
業務が円滑に進むにゃ！

業務をスムーズに！ミーティング準備と本番のススメ

＼有意義な時間を作る！／

ミーティングの良い例・NG例

スポーツの作戦会議と一緒で、次の行動に移すために会議をするにゃ！

ミーティングの空気をよどませる原因とは？共通のゴールを認識してズバッと解決！

良いミーティングとは、参加している全員に共通の目的があって、話し合いをしっかりとリードする人と時間を計算するタイムキーパーがいるものです。つまり**1人ひとりが役割をもって参加することで、目的というゴールを目指せるミーティング**になるということです。

逆に悪いミーティングは、目的もなく全員がバラバラのことを考え、ただ時間だけがすぎてしまうものを指します。この場合、空気もよどみなんとなく嫌なムードが漂ってしまいがちです。

それぞれが役割を持っていればバラバラなことを考えても最終的にはひとつのゴールに達せられますが、参加するだけで役割もないとなると次のアクションも決まりにくいです。

サッカーや野球の作戦会議では、チーム全体が勝つという目的に向かってそれぞれ何をすべきか、どう動くべきかを限られた時間内で考えます。これこそ理想のミーティングです。

それぞれの役割、目指すゴール、これら2つのことを全員が認識することが良いミーティングの大前提になります。

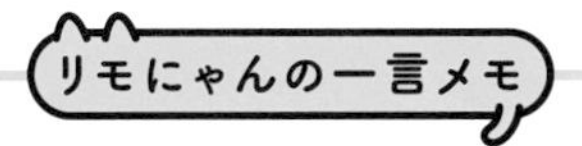

自分の役割をしっかり理解して会議に挑むにゃ！

＼ 種類を知って使い分けよう！ ／

いろいろあります 会議の目的

❶ アイデア出しの会議

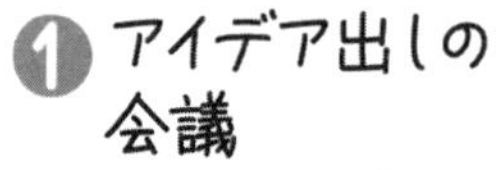

❷ スケジュールを決める会議

❸ 報告や連絡をする会議

❹ 教育をする会議

❺ 意思決定をする会議

❻ 問題を発見するための会議

❼ 問題を解決するための会議

会議は主催者も参加者も共通認識を持って挑もう

会議は参加者全員が目的と役割を持つことで成立します。

目的が明確であれば、会議の進行がスムーズになり、参加者全員が何を達成すべきか理解できます。**例えば、「問題解決」「アイデア出し」「意思決定」「教育」などの具体的なゴールを設定することで、議論が焦点を外れることなく進行できます。**

そのため会議を開催する前には、その目的や議題を参加者に周知しておくことも大切です。これにより、参加者が準備をしっかりと行い、有意義な意見を持ち寄ることができ、会議の効果を最大限に引き出せます。

また、会議に参加しているだけの人がいる状態も生産性があるとは言えません。ファシリテーター、書記、各責任者、引き継ぎ担当者などそれぞれの役割もしっかりある状態なら、各立場からの意見やアイデア、重要な質問も生まれやすいです。

一方で、**不要な会議はあえて行わないことも重要です。会議は時間とリソースを消費するため、目的が曖昧だったり、議題がメールやチャット、一対一のやりとりで解決できるものであれば、会議を開催する必要はありません。**

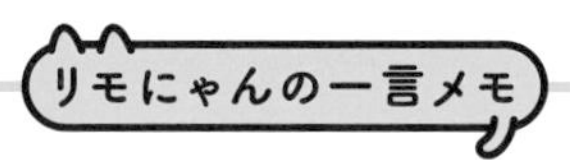

スポーツの合間の作戦会議のように終了後の行動が明確になればOKにゃ！

\ コレさえ覚えれば完璧！ /

会議後即出し！議事録の書き方

分かりやすい議事録が作成できるとチームでの信頼度アップにゃ！
まとめる項目を作成して会議後にすばやく共有するのがオススメにゃ！

	項目	書き方の例
1	会議のタイトル	新商品の市場調査と競合分析
2	会議の目的	現状の共有と問題の発見
3	日時	△月□日 10:00 ～ 11:00
4	開催形式	Web会議（Zoom）
5	出席者	ボスにゃん　ネガにゃん
6	議事録担当者	リモにゃん（記）
7	内容	・市場調査の結果共有 ・お魚型クッションの市場ニーズは、ユニークなデザインと機能性に注目。子供から大人まで幅広い年齢層に人気が出ると予想。インテリアやギフトとしての需要が見込める。
8	資料の情報	http://○○△△□□.com
9	決定事項	お魚クッションは○月ローンチを目指し、幅広いマーケティング戦略を計画中。SNSキャンペーンやニャンフルエンサーマーケティングを活用し、ターゲット層への訴求を強化する。
10	次回日程	○月○日

書いた方がいい項目

1. 会議のタイトル
2. 会議の目的
3. 日時
4. 開催形式
5. 出席者
6. 議事録担当者
7. 内容
8. 資料の情報
9. 決定事項
10. 次回日程

書くうえで意識すること

Who：誰が
Where：どこで
What：何を
Why：なぜ
When：いつまでに
How：どのように行うか

伝わる議事録で仕事も円滑にしていこう

議事録をわかりやすく書くことには、多くのメリットがあります。まず、議事録は会議の内容を記録し、重要な決定事項や次のアクションを明確にするためのものです。わかりやすい議事録は、参加者全員が同じ理解を共有できるため、後からの混乱や誤解を防ぐことができます。特に、会議に参加できなかった人や、後で内容を確認したい人にとっては、明確で簡潔な議事録が大変役立ちます。

会議が終わったら議事録を迅速に共有しましょう。チーム全体の信頼を高める効果があります。会議が終わった直後に議事録を共有することで、「この人は仕事ができる」と思われるようになります。さらに、早く共有があると、すぐに次のステップに取り掛かることができるため、プロジェクトの進行が加速されます。

最近では、**多くのAI文字起こしツールや要約ツールもあるので、活用することで議事録作成の効率が大幅に向上します。**これらのツールを活用することで、会議の内容を迅速にテキスト化し、重要なポイントを自動的に抽出することが可能です。また、議事録を共有する際に、次回の会議の日程や次のステップについても明記しておくと、スケジュールの調整やタスクの優先順位付けがしやすくなります。

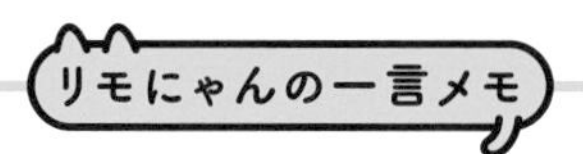

**まとめ上手になると
議事録で一目置かれるにゃ！**

＼ チェックすると失敗知らず！ ／

ささっとミーティング！事前準備チェックリスト

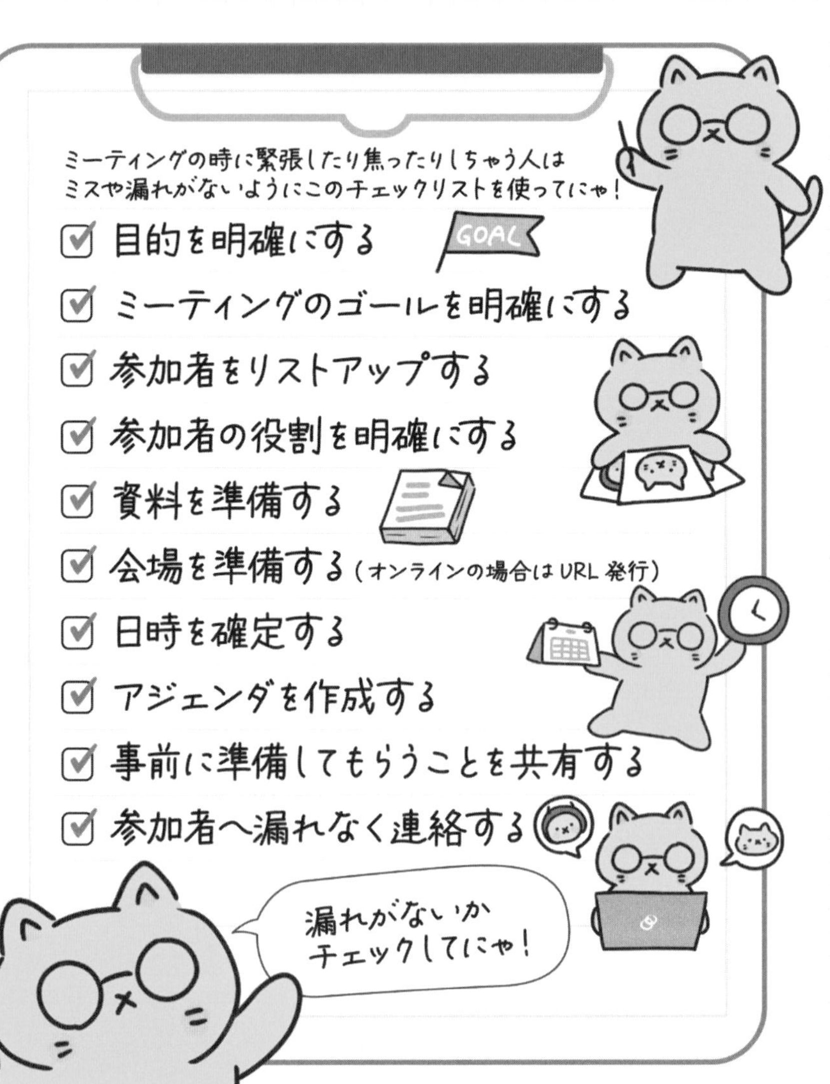

しっかりした準備が MTGの成果の最大化につながる

ミーティングの準備には、計画の作成、資料の準備、関係者への通知など、さまざまなタスクが含まれます。これらのタスクをリスト化し、順を追って確認することで、準備の漏れやミスを防ぐことができます。また、チェックリストを使うことで、準備の進捗状況を一目で把握でき、効率的に作業を進めることが可能になります。

次に、チェックリストを活用してミーティングの準備をすることで得られるメリットについてお伝えすると、まず準備の質が向上します。**各項目を確認し、必要な資料や情報を揃えることで、ミーティングがスムーズに進行しやすくなります。** さらに、準備不足によるトラブルを未然に防ぐことができます。たとえば、必要な資料が揃っていなかったり、関係者に通知が届いていなかったりする場合、ミーティングが円滑に進まない原因になりますが、チェックリストを活用することでこれらのリスクを減らすことができます。

加えて、チェックリストを活用することで、時間の管理がしやすくなります。準備に必要なタスクをリスト化し、順序立てて実行することで、無駄な時間を省き、効率的に準備を進めることができます。また、ミーティングの前にチェックリストを確認することで、緊張や不安を軽減し、自信を持ってミーティングに臨むことができます。

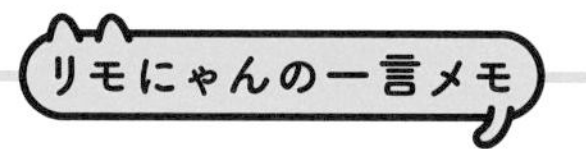

万全に準備してミーティングに挑もうにゃ。

＼ 好感度アップ確定！ ／

良い質問の仕方

①結論 ▶質問の内容	新しい広告キャンペーンの 施策についてご相談があります
②背景 ▶質問に至った状況	従来通りの方法か 新しい施策を試すか チーム内で意見が割れています
③仮説 ▶自分の考え	私は従来の手法ではなく SNSを使用したアプローチを 取ることでターゲット層の関心を 引くことができると考えています
④相手への尊重 ▶時間をいただく ことへの気遣い	お忙しいところ恐縮ですが ご意見をお伺いしたいです どうぞよろしくお願いいたします

質問のコツ

- オープンクエスチョン（自由回答型）クローズドクエスチョン（Yes, No 型）を使い分ける
- 相手が答えやすいよう簡潔な質問にする

質問には2つの種類がある 使い分けて理想の回答をゲット!

良い質問とは、まず結論を述べること。そのあとに質問に至った背景と自分の考え、最後に配慮を入れると相手が答えやすくなります。

さらにコツを言うとオープンクエスチョンとクローズドクエスチョンの使い分けがあります。**オープンクエスチョンは、相手に自由な回答を与えるもので、意見などを細かく深く答えてもらいたいときに使います。**そして**クローズドクエスチョンは、はい・いいえ、もしくはAorBなど相手に回答の選択肢を与えて選ばせるもので相手から素早く答えをもらいたいときに使います。**この2つのクエスチョンを使い分けられれば、自分の欲しい理想の答えがもらえる近道につながります。

たとえば、社長に今後の展望を聞きたいときはオープンクエスチョンで「どう会社を拡大していく予定ですか?」と質問できます。

クローズドクエスチョンの場合は、ある程度自分で調べたものに対して選択肢をつくるので、相手は短い時間内で答えられるうえに自分自身も考える力も身につきます。

むやみやたらに質問するのではなく、相手にどう答えてほしいか、相手が答えに困らないかなどを考えて質問ができるようになれば、仕事のレベルも確実にアップします。

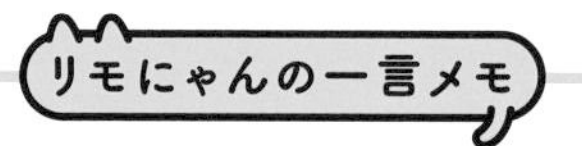

相手が答えやすいように情報整理された質問こそ良い質問ってことにゃ!

＼ 集中できる時間がカギ！ ／

適切なミーティング時間とは

会議時間を45分に設定

リモにゃんの会社では
会議時間は45分を
基本にしているにゃ！

議題と優先順位の確定 00:00〜00:05
あらかじめ持ちよった議題の順番を優先順位を元に決める

報告や共有 00:05〜00:15
意見を述べ、提案を行うのに十分な時間を確保する

議論 00:15〜00:35
参加者が意見を交換し着地へ向かう時間
異なる視点やアイデアについても話し合う

行動計画と役割分担 00:35〜00:45
タスクと、実行する人を決める

長ければいいって
ものじゃないにゃ

確認だけで済むものは2、3分で終えることも。
5分や30分でできる内容の
ショートミーティングもあるにゃ！

- 1人にだけ聞けば良い内容は、会議には入れてないにゃ！
- この会議におさまらないものは、事前準備や
次の会議に回すのがオススメにゃ！

短すぎても長すぎてもダメ！ 黄金タイムは小学校の授業時間

ミーティングは時間をかければいいものではなく、有意義な時間にするのが大事です。そこで**私が提案する適切な時間は45分です。**

冒頭、議題を参加者に理解してもらうことに約5分、意見や提案を述べるのに約10分、参加者たちの話し合い、意見交換に約20分、最後に議論をまとめ、次のアクションを明確にするのに約10分。

ミーティングは1時間刻みで考えられがちですが、これらのバランスで終了すれば45分で終わるため、**残った15分で内容を整理するのもよし、移動時間に充てるのもよし、ひと休憩入れるのもよしと有意義な時間が生まれます。**この45分はちょうど小学校の授業の1コマと同じ時間です。人が集中できる時間のベースとしてはピッタリだと思います。

ちなみに45分もあくまで目安です。内容によっては立ち話の2～3分、あるいは30分で完了できるのもあるはずです。ミーティング＝長い、という固定観念を取り除いて必要な時間を柔軟に決めるほうが、全員が時間を有効に活用できます。123ページの「ファシリテーターを任されたらやること」を参考にすると、削れる内容も見えてきます。

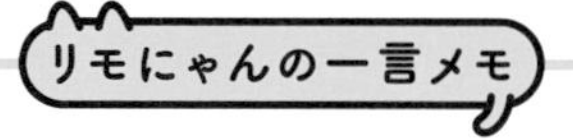

ミーティング後の整理をする時間も念頭に置くにゃ！

＼コレで印象もガラリ／

オンラインMTGで好印象を与えるコツ

メラビアンの法則

人がコミュニケーションにおいて影響を受ける割合

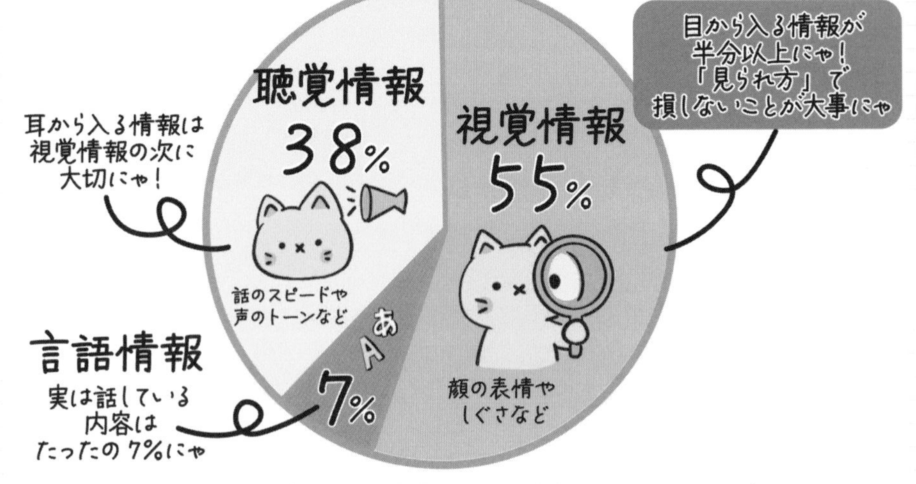

事前準備のポイント

会議を行う環境によって変わるから毎回チェックがおすすめにゃ

✔ 照明

✔ 服装

✔ 角度調整

ミーティング中のポイント

特にこの3点を意識してみるにゃ

✔ 表情

やわらかい表情

✔ アイコンタクト

目を合わせる感じ

✔ リアクション

普段より大きく

人の印象を左右するのは視覚から表情、しぐさ、清潔感は大事

みなさんはメラビアンの法則を知っていますか？　これは**人がコミュニケーションするとき、視覚情報が55%、聴覚情報が38%、言語情報が7%の割合で、相手に影響を与える**という心理学の法則です。つまりコミュニケーションの半分以上が視覚で左右されています。

オンラインMTGの場合、この法則は特に大事なので顔の表情、仕草、清潔感のある服装が好印象を与えるカギになります。さらに抑揚のあるしゃべり方やストーリー性のある会話術を意識するとより良い印象がアップして、プレゼンもうまくいきやすくなります。

照明が暗いと表情まで暗く見えてしまうので照明は明るく、服装もトップスだけはきちんとした印象のものを選ぶ、そしてミーティング中に顔が隠れないようにカメラの角度をあらかじめ確認するという3つを事前に気を付けておけば半分はOKです。ここは122ページで紹介している「オンラインMTGでよくあるNG例」を参考にするといいでしょう。

あとは本番でなるべく大きなリアクションで、反応していることを相手に伝えましょう。手振りをつけるのも効果的なのでオススメです。

対面じゃないからこそ、笑顔を絶やさないのも忘れずに。

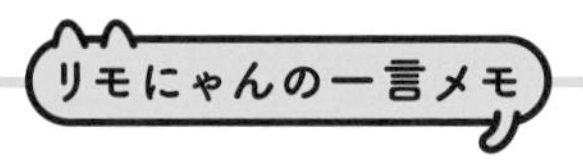

オーバーリアクションで好印象！
お手本はバラエティ番組のワイプにゃ！

＼ わかりやすさを強化！ ／

良い報告のコツ

相手に何かを伝える時「うーん、どうしてほしいにゃ？」と言われたことにゃい？
これは相手にあなたの言いたいことが伝わってない証拠にゃ！

まずは相手の「聞きたい話」を意識するにゃ

結論から伝えると相手が話の内容を把握しやすくなるにゃ

何を求めているかを明確に伝えることで相手が動きやすくなるにゃ

最初から15秒に収めるのは難しいから時間を計りながら短くしていくにゃ

コレを繰り返せば、着実にできるようになるにゃ！

何から報告すればきちんと伝わる ダラダラとした長い報告はNG！

誰かに何かを報告する時は、要点をまとめないと何が言いたいのか伝わりにくくなってしまいます。そこでまず**1番大事なことは、結論から報告すること。結論を先に伝えることで、この報告を今すぐに聞くべきかどうかの判断を相手に委ねられます。**つまり、その報告に緊急性があるかないかを判断してもらえば、無駄な時間をとらせる心配もありません。

そしていざ報告するとなったら5W1H（いつ、どこで、誰が、何を、なぜ、どのように）の法則に従って、きちんと状況を把握してもらうことも大事です。この5W1Hが含まれていない話は誤解を生みやすいのでしっかりと伝えることを意識しましょう。

ここで重要なのは相手にしてほしいことをしっかり伝えること。何を求めているかを理解してもらえれば相手もすぐに動けます。相手が正確に動けるように、やってもらいたいことと自分の意見は明確に区別して伝えることもポイントです。

図解の15秒報告を参考に、状況で変化させましょう。一方的に話さないよう注意して、報告の最後には相手からのフィードバックを求めるとより理解度が深められます。

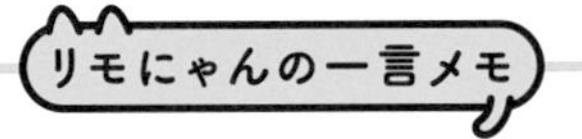

グラフやチャートなど
視覚的なツールを使ってもOKにゃ！

＼ 気をつけておいて間違いなし！ ／

オンラインMTGのよくあるNG例

気になるケース事例

オンラインMTGは直接対面と違って表情や空気感が伝わりにくいにゃ！
だからこそ以下のことに気をつけて、気持ちいいMTGの場をつくるにゃ！

背景の生活感

髪がバサバサ

角度が悪く二重顎

画面からの見切れ

堂々とあくび・くしゃみ

硬い・怖い表情

不安げな表情

ずっと他の作業中

強度の補正加工

TPOに合わない服装

暗すぎる画面

逆光・反射

正面を向いて飲食　はみ出る程の動作

印象の良い映り方を極めるにゃ！

＼即使えるチェックリスト！／

ファシリテーターを任されたらやること

事前準備

- ☑出席者は必要最低限にする
- ☑Zoom の URL をあらかじめ発行しメンバーに共有しておく
- ☑資料は１議題１枚で事前に配布する
- ☑参加者へ事前に内容を共有する（目的の提示／議題を用意）
- ☑事前に出た質問はまとめておく
- ☑時間の配分を伝える
- ☑前日にリマインドを送る
- ☑遅刻しないよう前倒しで行動する

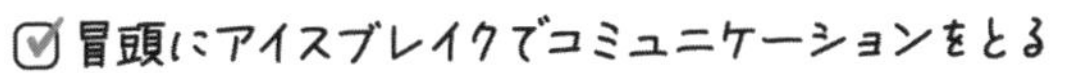

ミーティング中

- ☑冒頭にアイスブレイクでコミュニケーションをとる
- ☑事前に共有した内容を再確認する
- ☑議事録は会議中に作成する
- ☑身だしなみ、映り方に気を配る
- ☑相手の話を遮らずに聞く
- ☑聞いたことは認識違いのないように確認する
- ☑決まったタスクは誰がいつまでにやるかその場で決める
- ☑次回の日程をミーティング中に決める

ミーティング後

- ☑お礼の連絡を送る
- ☑決定事項の確認をする
- ☑タスクの担当者を明確にする
- ☑議事録を遅くても当日中に共有する
- ☑議事録の認識間違いがないか確認する
- ☑次回までのタスクと納期を整理する
- ☑次回日程を忘れないように送る
- ☑自分のタスクはすぐに着手する

「準備が9割」を意識して
プレゼンへの苦手意識も
克服するにゃ！

Chapter 6

説得力が爆上がり！
プレゼンテクニック

＼プレゼンでは自信が大事！／

プレゼンの良い例・NG例

×良くないプレゼンの例

○良いプレゼンの例

相手の立場に立ったプレゼンとは

そもそもプレゼンとは、聞いている人たちが何かしらの判断をする必要があるから行われるものです。つまり、プレゼンの目的は相手の意思決定をスムーズにできることにあります。

そのためにはわかりやすい説明は大前提として、必要なデータや説得力がある材料を用意したり、ハキハキとした口調で伝えたり、想定される質問の答えを考えておいたりと、プレゼンされる側の立場に立って準備することが重要です。

プレゼンは自分が発表するから緊張すると考えがちですが、自分の発表ではなく相手の意思決定をしやすくするという目的を頭に入れて話せば、堂々と話を進めることができるはずです。

プレゼンのNG例として、情報が足りずにおどおど話し、ただ時間だけが過ぎていくというものがあります。

用意すべきものはあらかじめ用意して、緊張に打ち勝つプレゼンで相手の意思決定をスムーズに運ぶ手伝いをしてあげることこそ、良い例と言えます。

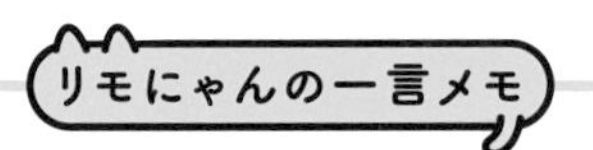

目的のハッキリとしたプレゼンで
相手の心をしっかりキャッチするにゃ！

＼ 知っておくと得しかない！ ／

説得力がアップする言い換え術

言い方を少し換えてみると印象が良くなるにゃ

Before		After
○○らしいです	▶	○の説によると
～を勉強しています	▶	～を研究しています
○○だと思います	▶	○○です
～がたくさんあります	▶	～が多く存在します
なると思います	▶	～によると、○○な効果を期待できます
～した方が良いです	▶	～が最適です
～が正しいです	▶	～な視点も大切です
良い方法です	▶	～の実績がある方法です
多くの方に選ばれました	▶	○%の方に支持されています

「勉強中」は説得力が落ちるにゃ

科学的根拠は有効にゃ

過去のデータを使えるにゃ

数字は有効にゃ

信頼感を与える言い方で説得力UPするにゃ！

言い方をちょっと換えるだけで説得力のあるなしも断然、変わる

プレゼンにおいて、会話術は要になってきます。あいまいな言い方では自信がないと伝わり、相手の判断も鈍ってしまう可能性があるため気をつけないといけません。

あいまいな言い方はただの個人的な意見として捉えられがちですが、断定的な言い方にすると調べた結果に基づいていると伝わりやすいです。もちろん、知ったかぶりはNGなので、実際に断定を証明する基となるデータは必要となってきます。つまり、事実に基づくエビデンス（根拠）を用意しておかなくてはなりません。

仮に事実ではないときは、「あくまで私の意見ですが」というひと言を添えるだけで、自分の考えがあるというプラスの印象につながりやすいです。

そしてもうひとつ、プレゼンにおいて大事なのはしゃべり方です。これはしゃべる速さの問題ではなく、しゃべりに抑揚があるかないかが重要です。せっかくの話も棒読みだと感情がこもらないため、相手の頭の中にも入り込みにくいです。口調に抑揚をつけて、起承転結をハッキリさせて、断定的に話す。これでプレゼンの成功率もアップします。

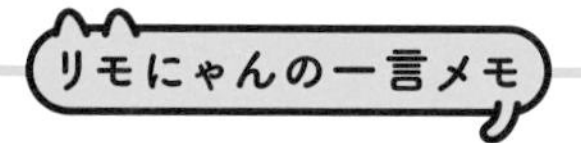

話す時は身振り手振りも加えて声を張るとさらに説得力がアップするにゃ。

＼例えることで信頼度アップ！／

例え話の作り方

例え話はコミュニケーションが円滑になるだけでなく自分の思考整理にも役立つにゃ

01：身近なものに例える

Point01 相手がイメージしやすいもので例える

リモにゃんの場合

02：AIチャットに聞く

Point02 具体的なワードを入れる

ChatGPT / Bing / AIチャットくん / Gemini

文章例
- 注目を引くための例え話を10個教えて
- 仕事とプライベートのバランスを例えるなら？

例え話を作るコツ

自分の好きな題材を持つ

スポーツ・料理・音楽など、自分の好きな題材だと使いやすいにゃ

身近なネタに詳しくなる

例え話にユーモアが生まれて腑に落ちやすくなるにゃ

人の例え話をマネする

セミナーや会議などで「わかりやすい」と感じたらメモるにゃ

例え話が苦手な人は、ぜひ活用してにゃ！

うまく使えば理解度もコミュ力も上がる！

プレゼンにおいて、なぜ例え話が必要なのでしょうか。それは自分ごとに落とし込みやすいからです。自分ごとに落とし込んでもらえると、より理解してもらいやすいうえに、先の話にもつながりやすく一石二鳥以上の効果があります。

プレゼンの中に抽象的な話や、多くの人がイメージしづらい話は時事ネタや身近なことに例えて話すと伝わりやすいです。

ちなみにソフトバンクグループの孫正義社長は、10年後に生成AIがどんどん発達して、人間の知能を超える危険な状況に陥るかもしれないという話をするときに、生成AIが発展し続けると人間は金魚になるという例え話をしました。これはとてもわかりやすい例え話として有名です。

作るのが難しいと思ったら、AIチャットに聞くのもひとつの手です。ほかにも日頃から例え話がうまくなるために、自分の好きな題材を深掘りしたり、時事ネタを注意深くチェックしたり、誰かの例え話をメモしておいたりと練習しておくのもオススメです。

例え話を攻略して、関心を惹くプレゼンができるようになりましょう。

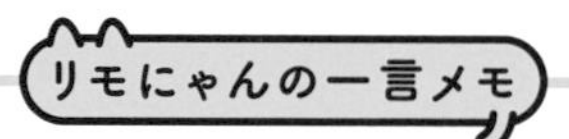

相手がわかりやすいと感じる
例え話にできると親切にゃ。

＼自分の能力も爆上がり！／

語彙力の鍛え方

優れた表現は信頼を勝ち取る！

自分が何を伝えたいのか、**言葉のバリエーションを持っていると話し合いの場でより正確に気持ちを表現できます。**

図解では「推しの尊さ」をいかに伝えるかを例にしていますが、まずは感情を細かく分解することです。雑に言うと「ヤバイ!!　ビジュ良ッ!」と言ってしまうところを「どこが？」「性格は？」「特徴は？」と、ひとつずつ考えてみます。すると、「パフォーマンス中はカッコイイのに笑顔を見せると可愛いギャップが好き」と具体的な伝え方ができます。

仕事だと「この人はスゴイ!」と感情で伝えるシーンもあるかもしれません。同じように「なぜ？」「どこが？」などポイントを考えてみて話してみると、「時間のない進行でみんな冷静になれない中で、クリティカルなミスを次々と指摘していた」など、より立ち入った伝え方ができるため相手にも興味を持ってもらいやすくなります。

ちなみにポイントは、相手が好きそうなポイントも話すことです。「ずっと穏やかな口調だからこちらも落ち着ける」、「趣味が登山だから仕事も突き詰めるのかな」など人柄が見える言い方もできるとグッドです。

すぐに語彙力豊富に話せるようにはならないので、最初は分解をするクセをつけてゆっくりでも話せるようになるとステップアップできます。

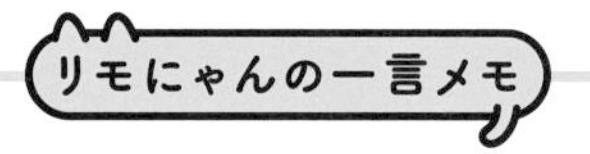

言葉が足りない時はChatGPTに
聞いてみるのもひとつにゃ！

＼ 基本を覚えて自信をつける！ ／

プレゼンする場合の基本的な文章の構成

社内・社外問わず、会議で話さなくてはいけない時
焦らないためにも会話の基本構成を知っておくと便利にゃ

社内向け　説明力がアップする構成（PREP法）

Point 結論　Reason 理由　Example 具体例　Point 結論

社外向け　わかりやすくて使いやすい構成（SDS法）

Summary 概要　Details 詳細　Summary 要点

結論を2回繰り返すPREP法はおすすめ！

社内・社外問わずプレゼンを行うときは、決め手になるのが会話の構成です。ここでは構成の例文をお届けするのでぜひ参考にしてください。

社内向けですと、より短い時間で効果的に伝えられるPREP法がオススメです。相手にすぐに結論を理解させ、その理由を納得させることが目的です。まずは今からどんな話をするか結論からスタート。そして次にその結論がなぜ導かれたかの理由を述べます。さらに具体例をあげて説得力をあげます。最後に話した内容をまとめれば完璧です。

社外向けですと、わかりやすくて使いやすい構成のSDS法がオススメです。詳細な説明が必要な場合や、情報を段階的に伝えたい場合が多いからです。まずは概要として、「業務改善のためにAツールの導入についてお話しします」と話を切り出して、「Aツールは現在のツールで使っている機能の他にファイルや各部署でのタスク管理が可能です」と詳細に続けます。最後は要点として、「したがって今後の業務改善のためにAツールの導入をおすすめします」と締めくくります。

社内と社外では少し構成が違いますが、プレゼンの目的と相手にどうなってほしいのかに合わせて使い方を選ぶことをおすすめします。

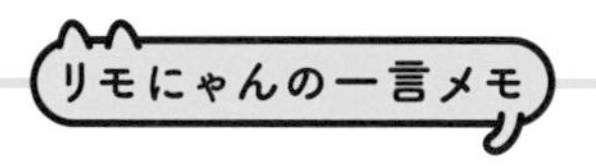

社内向けと社外向け、プレゼン力を鍛えて信頼を勝ち取る作戦にゃ！

＼たくさんあるけど覚えて／

プレゼンで作る図解の見せ方15選

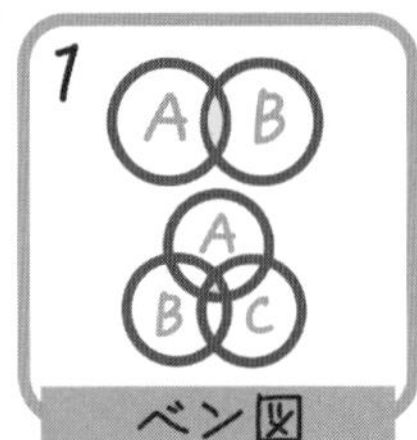

ベン図

A+B=　A+B+C=

2

サテライト型

関係性、つながり

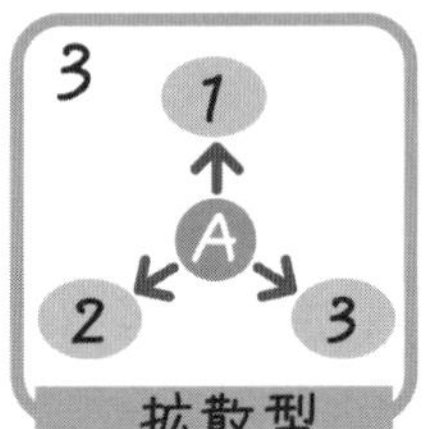

拡散型

Aが原因で起こること

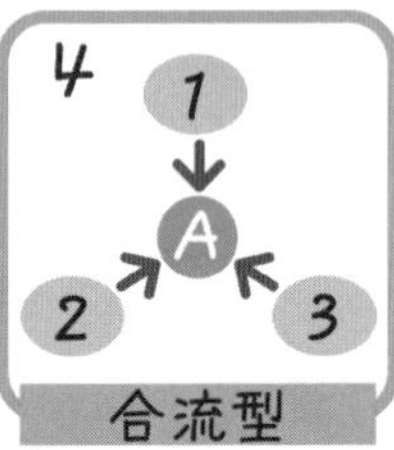

合流型

1～3が原因で起こること

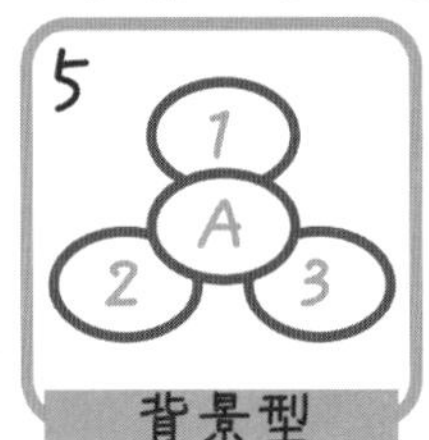

背景型

Aが起こった背景

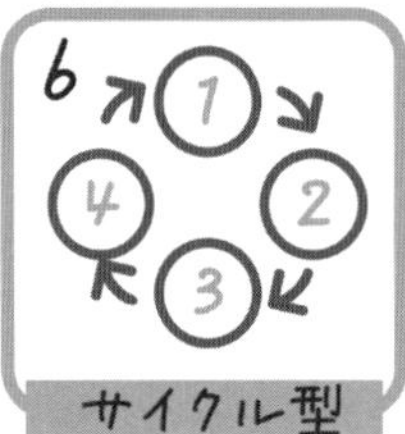

サイクル型

1～4までの流れ

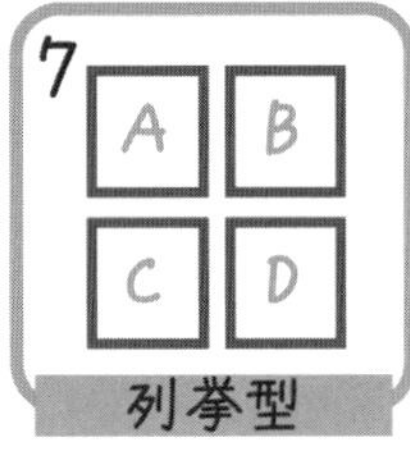

列挙型

並列に並べたいとき

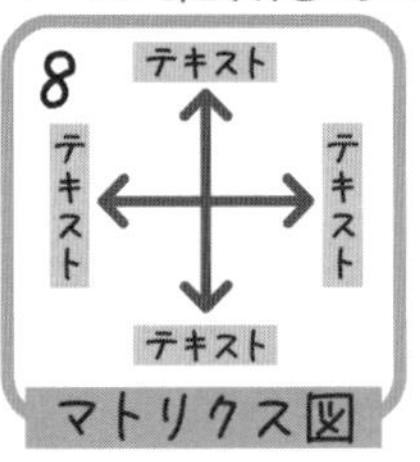

マトリクス図

ポジションや立場の違いを視覚化

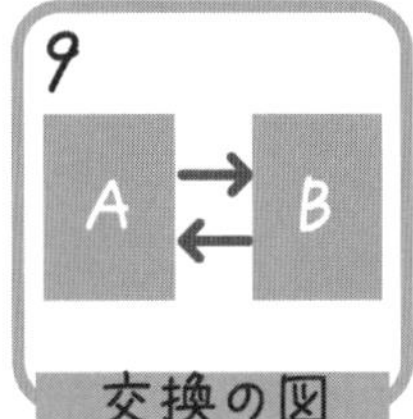

交換の図

AとBの相互関係

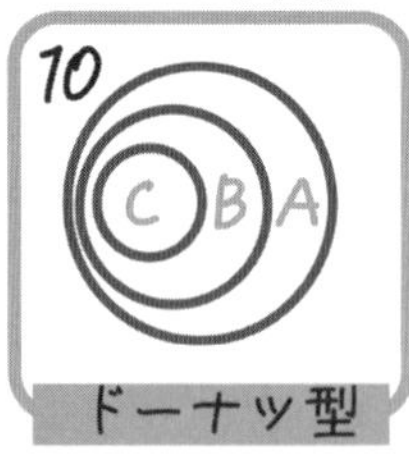

ドーナツ型

Aの中にBとCを含有している様子

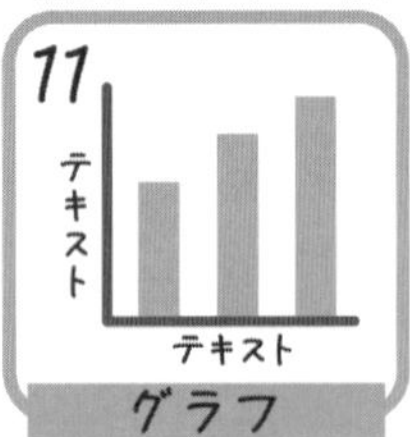

グラフ

数字の変化を伝えたいとき

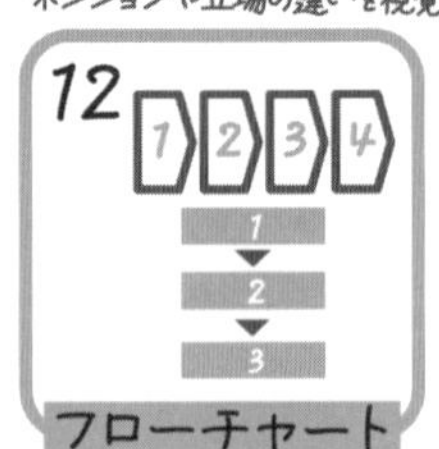

フローチャート

流れをわかりやすくしたいとき

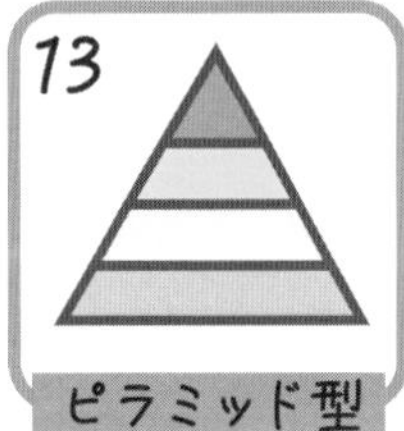

ピラミッド型

階層の違いをわかりやすく

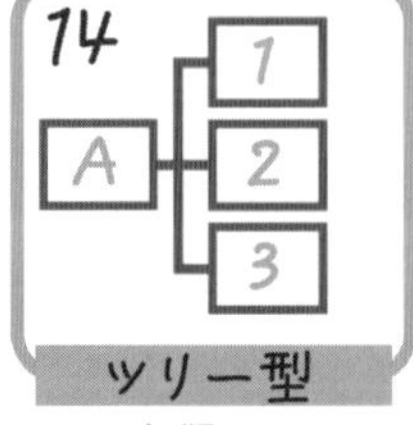

ツリー型

Aを分類したいとき

テーブル型

情報が多い時や比較したいとき

説得力マシマシに

視覚化で理解を深めることがプレゼン成功への鍵

図解を使う目的は、情報を視覚的に分かりやすく伝えることです。特に複雑なデータやプロセスを説明する際、テキストだけでは理解が難しい場合があります。しかし、グラフやフローチャートを使うことで、情報の要点を簡潔に視覚化し、聴衆に理解しやすくなります。また、視覚的な要素は記憶に残りやすく、プレゼンテーションの効果を高めます。

次に、図解を活用することによる仕事上のメリットのひとつとして、効率的なコミュニケーションが挙げられます。図解は情報を迅速かつ正確に伝える手段であり、会議やプレゼンの時間を短縮し、誤解を減らすことが可能です。

さらに、図解を利用することで、意思決定の質が向上します。例えば、データ分析結果をグラフ化することで、パターンやトレンドが一目で分かり、迅速かつ的確な意思決定が可能となります。

最後に、図解はチーム内のコラボレーションを促進します。視覚的な資料を共有することで、メンバー間の理解を深め、意見交換が活発になります。これにより、チーム全体のパフォーマンスが向上し、プロジェクトの成功につながります。

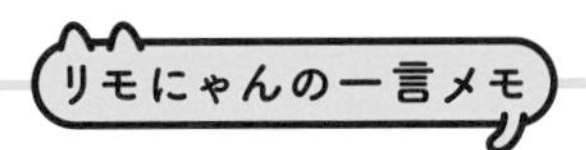

図解をうまく使えば
短い時間でわかりやすく伝わるにゃ。

＼目指すは表現マスター！／

無駄な表現を削りまくれ

ムダな表現は文章の読みづらさの原因になるにゃ！

① 二重敬語をなくす

例
- ご連絡させていただきました ▶ ご連絡いたしました
- ご覧になられる ▶ ご覧になる

② 文末を短く言い換える

例
- 〜なります ▶ 〜です
- 〜ものです ▶ 〜です
- 〜するようにします ▶ 〜します
- 〜することができます ▶ 〜できます

③ 意味のない言葉を省く

例
- 基本的に
- 〜に対して
- 〜という
- ある意味
- 〜の方
- 〜すること

④ 逆接以外の接続詞を省く

例
- したがって
- そして
- さらに
- そのために
- また
- そこで

意味が変わらないから
削っても問題ないにゃ

ポイ

⑤ 重複表現を避ける

例
いちばん最初　返事を返す　従来より
まずはじめに　約〇〇くらい　あとで後悔する

誤った使い方だから
要注意にゃ！

頭痛が
痛いにゃ〜

文章を作成したら①〜⑤のムダ表現がないかチェックしてにゃ

無駄のない言葉で響かせる

無駄な表現を削る目的は、3つあります。1つは相手の注意を引きやすくすることが挙げられます。**冗長な表現や不要な情報が含まれていると、相手は重要なポイントを見失いがちです。**簡潔な表現にすることで、伝えたいメッセージがはっきりと伝わります。

2つ目は、無駄を省くことで理解度が向上することです。読み手や聞き手は、複雑な情報を一度に処理することが難しいため、簡潔でわかりやすい表現が求められます。**情報の本質を捉えやすくなり、コミュニケーションが円滑に進む**のです。

3つ目に、プロフェッショナルな印象を与えることです。ビジネスや専門的な場面では、簡潔で的確な表現が信頼を築く基盤となります。無駄な表現を省くことで、**自分の意見や提案が明確になり、相手に対して信頼性を高める効果が期待できる**のです。

ほかにも、時間の節約ができることも大きなポイントです。要点だけを伝えることで、相手にとってもストレスが少なくなり、ポジティブな印象を持ってもらいやすくなるでしょう。

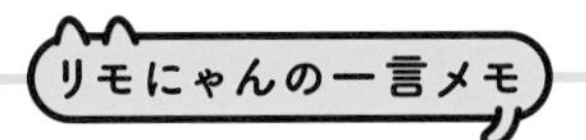

無駄な表現はどんどん言葉のダイエットをして減らすにゃ！

＼読みやすい＝好感度大！／

心を掴む提案書の書き方

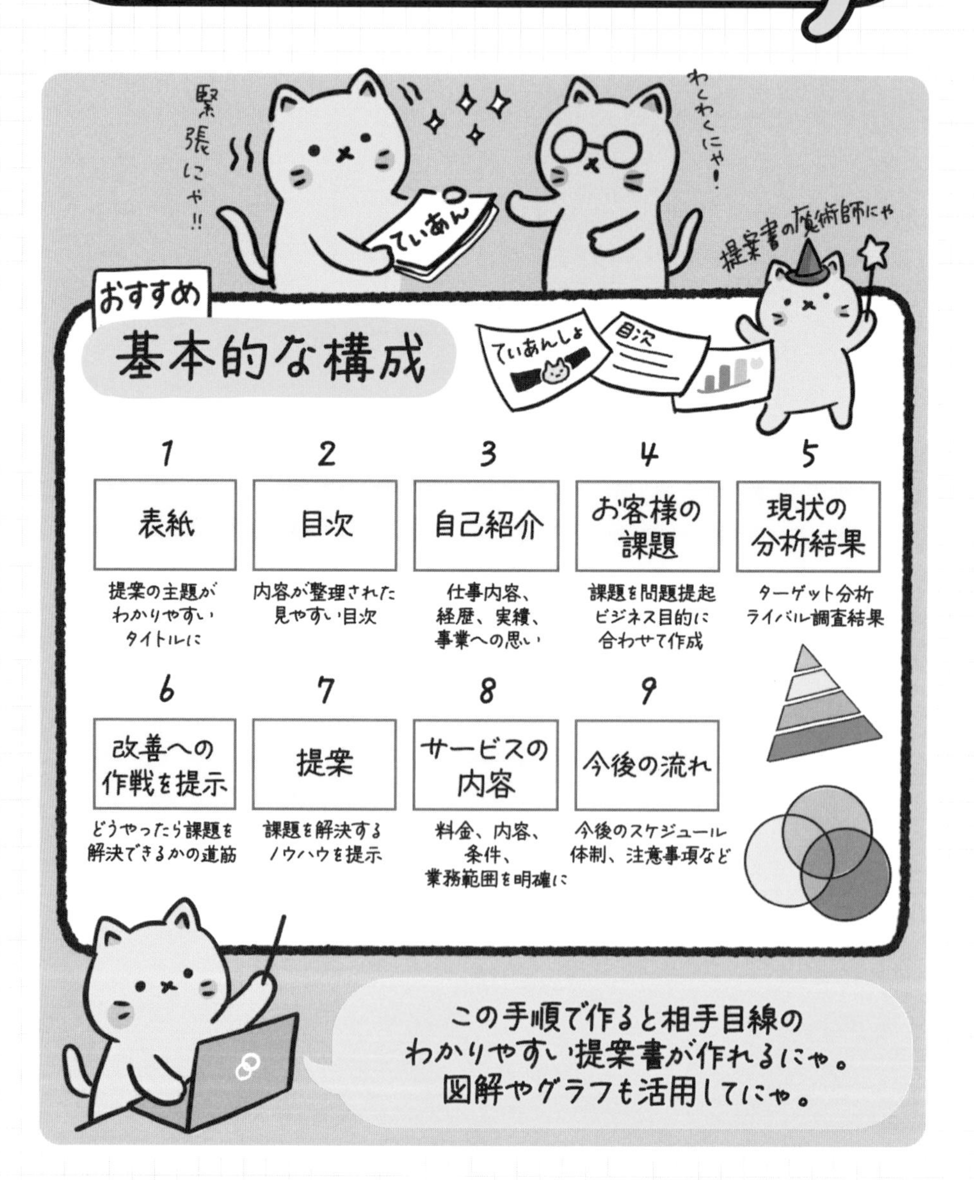

提案書は書く順番で決まる！相手目線で考えよう！

プレゼンでの資料で最も重要なことは、相手の心をつかむことです。そしてそのためには、相手のことをどれだけ考えるかがカギとなります。こちらが伝えたいことだけを伝えるのは簡単なことですが、それではサービス内容の提案だけになってしまい、誰にでも同じことを言っていると誤解されてしまいがちです。

そこで、**現状の分析や取引先の課題、改善のプロセスを入れ込むことでちゃんと相手のことを考えたプレゼン資料だということが伝わります。そして、それが相手の心に響くプレゼンとなって成功を導きやすい結果となります。**

では実際にどんな構成でプレゼン資料を作ればいいのでしょうか。まずは相手が気になる順番で答えていくということを念頭におくべきです。

相手が気になる情報を順番で答えていくことで、提案内容も頭に入っていきやすくなるので、まずプレゼンする人がどんな人でどんな実績があるのか、そしてなぜこの提案があるのか、現状の分析と改善案を提案しつつ、どんなサービスを取り入れていけば今後どうなっていくのか。これらの順番は社外のプレゼン資料以外にも社内への提案書としても使えるので1から9の流れを忘れずに応用するといいでしょう。

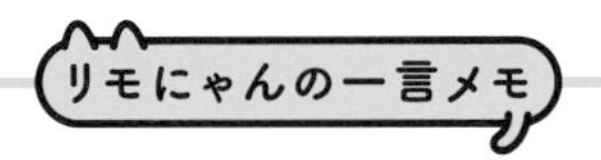

プレゼン資料は相手の立場になって作ることが一番大事なポイントにゃ！

＼資料と心理学の不思議な関係／

提案資料に使える心理学

心理学を使えばあなたの
資料にみんな釘付けにゃ！

1 バンドワゴン効果

口コミ No.1

リピート率 No.1

効果	他の人が消費するものを自分も欲しいと思う心理効果
使用例	☑口コミ ☑受賞歴 ☑ランキング

2 ゴルディロックス効果（松竹梅の法則）

500円

1,000円

1,500円

効果	3段階の選択肢があった場合無意識に真ん中を選んでしまう傾向があるという心理効果
使用例	☑料金プラン　一番売りたい商品を真ん中に置くことがポイントにゃ

3 ストーリーテリング

100年続く味を
現代に受け継ぐ

効果	物語として伝えることで自分の主張に説得力を持たせたり、聞き手に印象づけることができる技法
使用例	☑会社の事業紹介 ☑新商品のPR ☑企業理念

4 端数効果

＼満足度／
94.3%

効果	切りのいい数字よりも、端数を使った方が信憑性が向上するという心理効果
使用例	☑営業実績 ☑商品の価格

5 ツァイガルニック効果

効果 完了した事柄よりも途中で挫折してしまったり中断してしまった事柄の方が記憶に残る心理現象

使用例
- ☑ メルマガ ☑ 会社説明会
- ☑ 商品のキャッチコピー

6 返報性の原理

効果 人から受けた好意に対し自分もお返ししようと考える心理現象

使用例
- ☑ 申込時の特典やサービス
- ☑ 無料プレゼント ☑ 御礼のメッセージ

7 デッドライン効果

効果 「納期」や「締切」を指定することでやる気や集中力が高まる心理現象

使用例
- ☑ 期間限定キャンペーン ☑ 決算セール
- ☑ 使用期限のあるクーポン

8 アンカリング効果

効果 最初に与えられた情報や数字に、無意識のうちに判断を歪められてしまう心理効果

使用例
- ☑ 価格設定 ☑ 口コミ

9 ピーク・エンドの法則

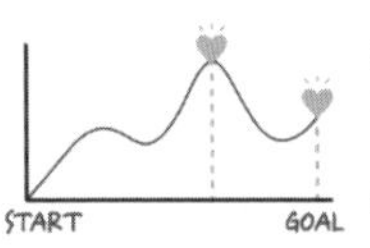

最も伝えたいポイントをピークとし最後にもうひと押しするような流れで話を構成するにゃ！

効果 全体的な印象は、感情が最も高まった瞬間と最後の瞬間だけで決まるという技法

使用例
- ☑ 商談 ☑ 会議 ☑ 商品のPR

10 シャルパンティエ効果

効果 大きな物体が実際の重さよりも軽く感じられ、小さな物体が重く感じられる心理現象

使用例
- ☑ 価格表記 ☑ 商品説明

＼見やすさも簡単にアップ！／

提案資料（デザイン）に使える心理学

相手に響く資料を作るためにデザインにも
心理学を有効活用するといいにゃ！

01 系列位置効果

人が何かを記憶する時に情報の
最初と最後が覚えやすく中間に
あるものは忘れやすい傾向にあるという効果

02 ヒックの法則

選択肢が多すぎると迷いやすくなるという法則

選択肢を適切な数にするにゃ

03 目的勾配効果

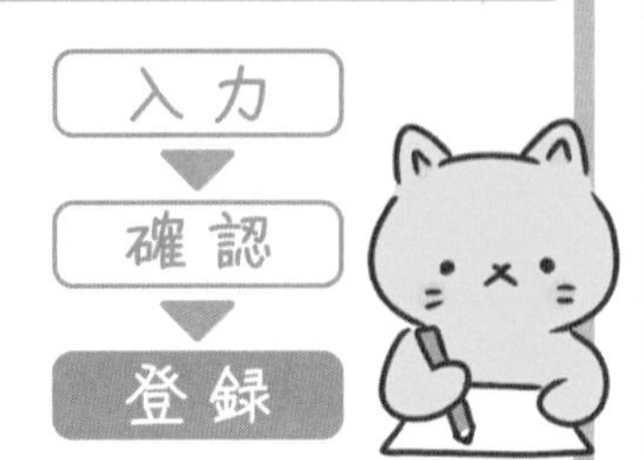

目標達成にむかって着実に
前進していることを見える化して
モチベーションを向上させる効果

04 アフォーダンス

ネコ

ポチッ

物の見た目・色・形などから
使用方法や操作方法を
直感的に理解できるようにする考え方

05 ツァイガルニック効果

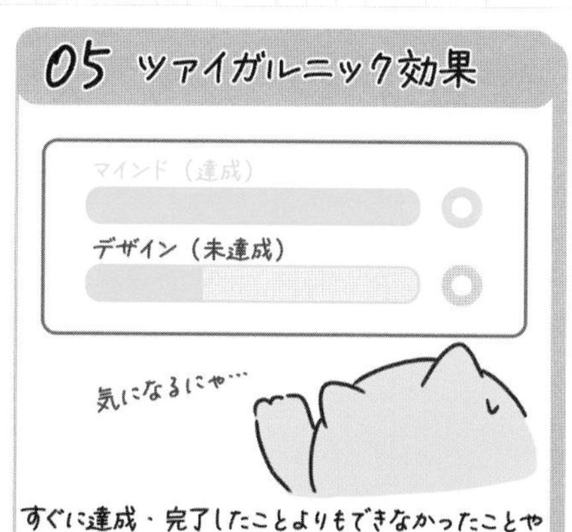

すぐに達成・完了したことよりもできなかったことや中断してしまったものが記憶に残りやすい効果

06 孤立効果

他と比べて異なる特徴があるものに対して強い印象が残りやすくなる効果

07 カクテルパーティ効果

ネコ
フリーランス
WEBスキル
当てはまってるにゃ!!

多くの情報の中でも自分に関係がある情報だと感じると自然に注目してしまう心理効果

08 フィッツの法則

相手に何かしらのアクションを起こして欲しい時にその対象が大きく近くにあるほど短時間で操作できる法則

09 ミラーの法則

△ TEL:0123456789
○ TEL:0123-456-789
読みやすいから
ストレスなく電話できるにゃ！

人が15～30秒の間で覚えられる情報の数は7±2（＝5～9個）であるという法則

10 コントラスト効果

似ているデザインが並ぶ中で特定の部分だけ目立たせると印象を操作できるという心理効果

意識して使うことで、多くの人により効果的かつ行動してもらいやすくなるにゃ！

自分を大切にすることが
楽しく働くための
一番のコツにゃよ！

自分の芯を作れば
仕事も心もブレない！
セルフマネジメント

＼仕事にもポジティブ感を！／

セルフマネジメントの理想形

よりよい仕事をするために
セルフマネジメントは欠かせない

セルフマネジメントとは、自己管理能力のことで目標達成や自己実現のために自分自身を管理することです。これがきちんとできていないと、仕事に感情を持ち込んでしまい、まわりの人に話しかけにくい印象を与えてしまいます。そうすると事業の進行のさまたげにもつながって、会社にとっても自分にとっても悪い影響を生んでしまいます。

セルフマネジメントがきちんとできていれば、ネガティブなことがあったときの対処法を自分で用意してあげられます。たとえば、お気に入りのコーヒーを飲むとか、推しの待ち受けを見るとか、その方法はなんでもいいです。

感情をコントロールできるノウハウを自分で理解することで、仕事でもいつも通り仕事ができますし、一定のバランスを保つことができるのでまわりからも話しかけやすい、一緒に仕事をしていて楽しいというプラスの影響を与えられます。

また、目先の感情にとらわれずに自分の行動をコントロールできるようになると仕事でパフォーマンスを上げることに集中できます。これらのセルフマネジメントをうまくできるようになることこそが、まわりにとっても、関わっている事業にとっても、その後の自分自身の人生にとってもポジティブな結果をもたらすことを覚えておくとよいでしょう。

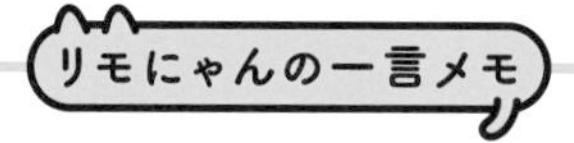

**自分の機嫌は自分でとって常に
一定のペースをキープするにゃ！**

＼行動と改善の繰り返し！／

自走力を高める

自走力とは

自分で課題を見つけて改善し
目標に向かって進む力のこと

自分で動かしていく意識づけを

よりよく働くために自走力がなぜ必要なのか。仕事において、ある一定の目標に向かって改善しながら行動していくことが大事ですが、自走力がないと行動することはできても何らかの壁にぶつかったとき、そのまま立ち止まってしまいがちです。つまり、**自分で改善する力がないから、対策を打つこともできずに同じミスを何度も繰り返してしまいます。**自走力の中には、課題を見つけて改善するという力も含まれているので、例え壁にぶつかっても立ち上がることができます。

自走力がないまま、ただ感情にだけ流されてしまうと壁にぶつかった状態で止まり、「自分はダメだ」とどんどんネガティブな方向に進んでしまいます。

だからこそ、仕事には自走力は不可欠ということになります。では、どうすればこの自走力を鍛えられるのでしょうか。

自走力の鍛え方は意外と簡単です。例えば、「今日は運動を10分やる」という目標を達成して、成功体験の経験値を積み重ねていきます。運動ができたら次は、釣りに挑戦してみる。そのためには何をすべきかと次に必要なことを考え、間違ったら改善するを繰り返していけば私生活でも自走力は鍛えられるので、簡単なことからトライしましょう。

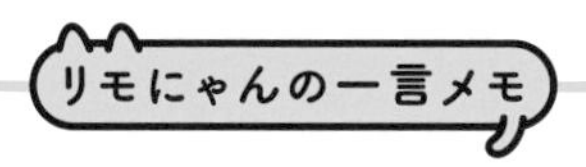

成長アップのカギは経験値を貯めて
改善しながら進み続けることにゃ！

＼ 対スキルアップに効く！ ／

視座が変わると見える景色が変わる

「視座」とは、物事を認識する立ち位置のことにゃ

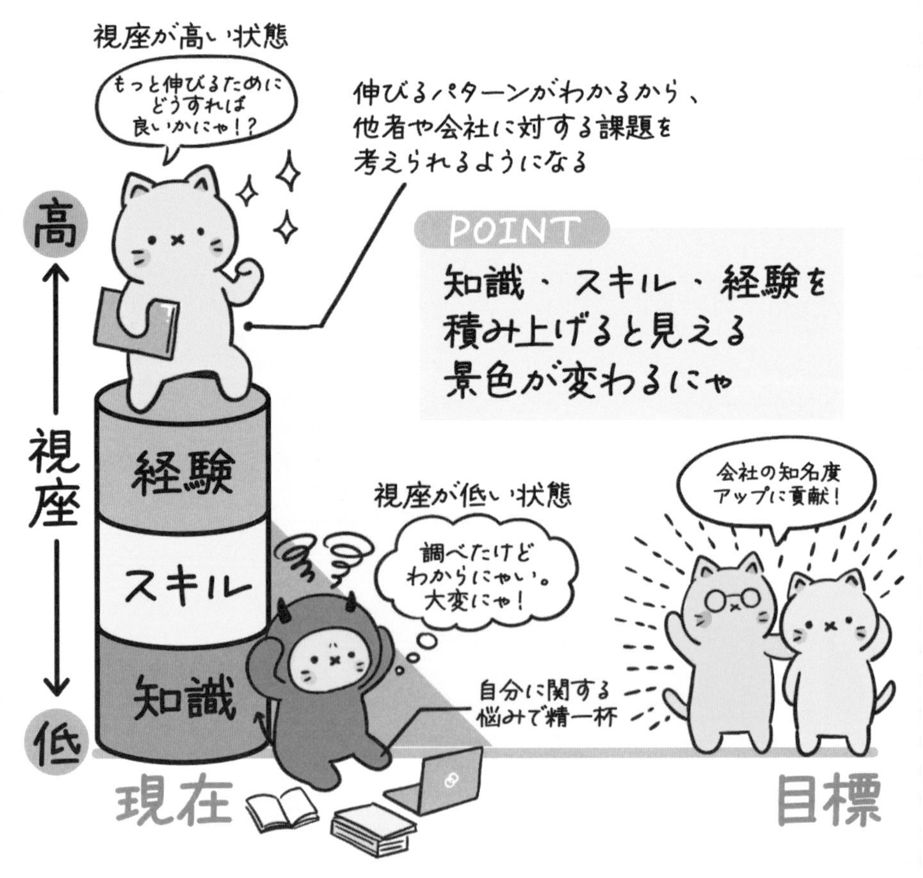

つい自分の悩みばかりになっていないかチェックしてみるといいにゃよ

自分の立ち位置をきちんと認識すれば まわりのことまで幅広く考えられる

視座とは、物事を見る姿勢や立場のことを指していて、視座が高いと物事を客観的かつ多角的に捉えられます。そして視座は自分の知識やスキル、経験が上がるにつれて高まるものです。

今回は飲食店でたとえてみます。初心者のアルバイトの方は与えられたタスクに集中します。オーダーを取ったり、料理を運んだり、テーブルを片付けたりといった具体的な作業です。この段階では、視座は「目の前の仕事をこなすこと」にあります。ある程度経験を積んで仕事に慣れてくると、次第に自分の役割だけでなく、店全体の運営を意識するようになります。在庫管理やお客様の流れを見た上でのチームワークのことです。さらに視座を上げるとすると「経営の視座」だったり「業界を見渡す視座」だったりします。

もちろん、知識だけでは成功につながらないため自分に自信が持てません。スキルと経験を積むことで、「どうすれば仕事を成功させてまわりを喜ばせてあげられるのか」を考えられるようになります。

自分が、「できない」と自分のことだけで悩んでいるうちは視座が低くて、まわりのことや相手の利益まで考えられるようになれば視座はどんどん高くなります。

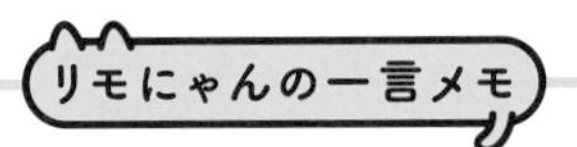

視座を上げて
先のことも見据えていこうにゃ！

＼やる気アップは意外と簡単／

モチベーションは行動によって上がるもの

10人中9人が勘違いしている

「行動できないのはモチベーションが上がらないから」

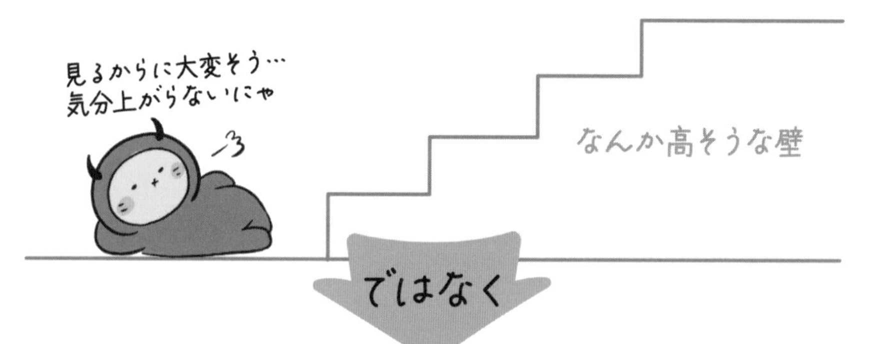

ではなく

「行動するからモチベーションが上がる」

まずはスモールステップでいいから行動する！

モチベが低いから行動できない！は嘘で行動することでモチベが上がる！が真実

お仕事でも勉強でも、「なかなか行動できないのはモチベーションが上がらないからだ。」と考えてしまうことはありませんか？　実はこれは、大きな勘違いです。

やりたくないことをやらないままでいるとずっとモチベーションは上がりませんが、ほんの5分でもやってみると意外とその仕事に対する姿勢ができてきて、10分後にはだんだんとおもしろくなって、もっとやってもいいかもとなることがあります。

つまり、行動するからこそ新しい発見が見えてきて、それが案外楽しいものとなって、モチベーションはどんどんと上がります。行動をすることなく、目の前のモチベーションの低さにとらわれてしまうと負のループから抜け出すことはできません。

モチベーションが上がらないから行動できないという考えを、行動するからモチベーションが上がるという考えに方向転換できれば、やりたくなかったことが実は自分に向いているという新事実を見つけて、それが自分のステップアップにつながるということです。

それがわかっていても、どうしてもやる気がしないという場合は、パソコンを開くでもいいし、議事録だけ眺めるでもいいので、はじめやすい一歩を踏み出すことが大事です。

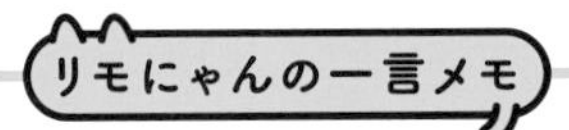

どうしても行動できにゃいときは
ほ～んの少しのアクションでOKにゃ！

＼ 8つの方法で体力アップ！ ／

フィジカルを整える

フィジカル＝身体的な部分を整えるために必要なことをリストアップするにゃ！
どれも当たり前のようで当たり前にはできないことなので自ら意識することが大切にゃ

1 水分をこまめにとる

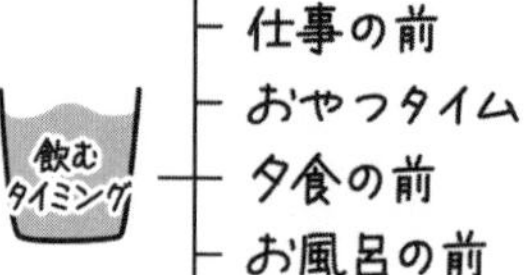

- 起きてすぐ
- 仕事の前
- おやつタイム
- 夕食の前
- お風呂の前
- お風呂の後
- 寝る前

2 体温調整をする

- 夏…暑さを我慢しない
- 冬…首、手首、足首を冷やさない

3 目を休める

- 温めて血行を良くする
- 目薬を使う
- 画面の光量を調整する
- ブルーライトカットフィルターを導入する
- 画面より遠くを見る時間を作る

4 日常に運動を取り入れる

- 散歩を10分する
- ながら筋トレをする
- 座りながらストレッチする
- 早歩きで移動する

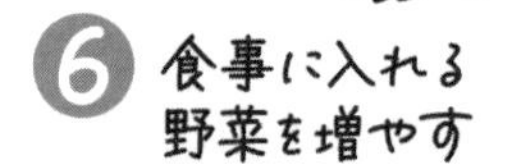

体は資本にゃ

5 タバコ、お酒の摂取を仕事の休憩として扱わない

（仕事の後にするにゃ）

6 食事に入れる野菜を増やす

- 野菜ジュースから始めてOK
- 切られている野菜を活用してみる

7 腸内環境を整える

- 果物やビタミンを摂取する
- 乳酸菌を摂取する

8 よく寝る！

翌朝起きるのが辛く感じないくらいの睡眠時間を探すにゃ

フィジカルを鍛えると
持続可能なライフスタイルが実現

実は、フィジカル（身体の健康）を整えることは、セルフマネジメント能力を高め、中長期的に自分のためになる重要な要素です。

まず、定期的な運動やバランスの取れた食事は、体力や集中力を向上させ、日々の業務の効率を高めます。これにより、生産性が向上し、より効果的に時間を管理できるようになります。また、健康を維持することは、ストレスの軽減にも役立ち、精神的な安定を保つことができます。ストレスが軽減されると、冷静な判断力を持ち続け、困難な状況でも柔軟に対応できるようになります。

さらに、健康を意識することは、自己管理能力の向上に直結します。例えば、定期的な運動を習慣化するためには、計画的なスケジュール管理が必要です。このプロセスを通じて、時間管理やタスクの優先順位付けが自然と身に付きます。

また、中長期的な視点から見ても自分のためになります。**健康的な生活習慣は、将来的な病気の予防に繋がり、医療費の削減にもつながるからです。これにより、経済的な安定を維持しやすくなり、安心して将来の計画を立てることができます。**

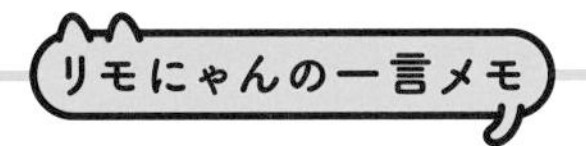

**フィジカルとメンタル
どちらも整えることが大事にゃ。**

＼自分の気持ちは自分で調整／

コントロールできることに集中する

自分でコントロールできることだけに集中するにゃ！

自分だけでコントロールできないことに影響されるのは時間の無駄

人生においても、仕事においても自分でコントロールできることとできないことがあります。例えば、人の意見や天気、ネガティブなニュースなどは自分でコントロールできない部類で、ここに影響されすぎると自分自身がとても疲れてしまいます。**いくら考えても自分ではどうしようもできないことに時間を費やしたり、感情をとられてしまうのはすごくもったいないことです。**

逆に"自分の感情や決断"、"周りに助けを求めるアクションや努力"などは自分でコントロールできる部類になります。こういった**コントロールできることだけに集中して考えたり、動いたりすると最終的には自分で人生を動かせるようになっていきます。**なぜかというと、自分の行動が自分の意思の上にあるから、常に自責思考でいられて、言い訳もしなくなるのです。

言い訳ばかりする人は、自分でコントロールできないことのせいにするので成長が見られません。

自責思考になると、例えば会社で理解し合えない上司がいたとしても先回りしてアクションをしようとか、自分の行動を変えることに集中できるので会社での人間関係も良くなります。上司のせいで理解しあえないとしか考えられないうちはネガティブなままなので要注意です。

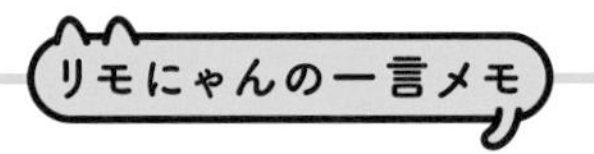

**集中すべきは自分の感情と決断！
これでネガティブ感情とお別れにゃ。**

＼ポジティブ精神をゲット！／

自分軸で考えるようにしよう

他人軸

他人の意見や評価を
重視し行動すること
評価されないと自己肯定感や
モチベーションが下がりがち

自己肯定感
DOWN

がんばったのに
評価されないにゃ

自分軸

自分の価値観や目標に
基づいて行動すること
自己成長に喜びを感じるため
失敗も受け入れやすい

自己肯定感
UP!

失敗も成長のうちにゃ！

大切なのは他人からの評価ではなく自分自身で評価してあげること

自分軸とは、自分がどう生きたいのか、何を大切にしたいのかといった価値観やその先にある目的を大事にすることです。一方の他人軸とは、周囲の人がどうしたいのか、どう考えるかを基準に判断して行動することです。つまり、他人の軸で生きることになるので他人の評価を気にしすぎる傾向にあります。他人の評価を気にするということは、裏を返すと他人から評価されないとがんばれなくなってしまうということです。

自分軸で考えることができれば、他人から評価されなくても自分の気持ちで動くことができ、失敗をしても自分が前に進んでいるからこそ失敗があると捉えられるので、自己成長にもつながっていきます。

他人からの評価は自分でどうにかできるものではありません。だからこそ、自分の軸を大切にして、自分はどうしたいかに重点をおくことで、他人の目よりも自分の芯を信じることができます。

自分軸はわがままとは違い、気遣いも大事にできます。ただその気遣いは他人に褒められたいからするのではなく、自分がやりたいからこそ。気遣いができる自分が好き……このように肯定感を上げれば他人への配慮も自然にできるようになり、どんどん好きな自分になれます。

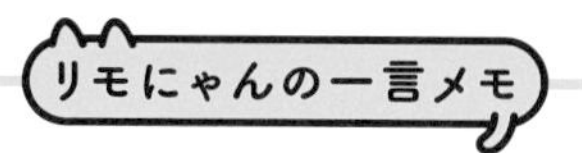

**自分を好きになると
仕事も楽しくなるにゃ。**

＼前向きになるコツ！／

感情ベース行動ベース

行動ベース

仕事で大切なのは論理的な考え感情に流されると落ち込む原因に

人間は感情とともに生きていて、さまざまな要因で気分の浮き沈みがあるものです。だから感情を仕事に持ち込みすぎると、業務の目的や利益とは関係ない部分でいちいち流されて落ち込んだり明るくなったり、波のような感情になってしまいます。ここをうまくコントロールするのが心身を健康に保つ秘訣です。

感情ベースの場合はちょっとした失敗でもドーンと落ち込んでしまい、そのネガティブな空気はまわりにも影響してやりづらいムードを生んでしまいます。

一方、**行動ベースの場合、企画が通らないなどの失敗があったとしても挑戦したことに意味がある、やり方を間違えただけだから次はうまくいっている人を参考にしてみようと感情と行動を切り離して考えることができるので無駄に落ち込みすぎる心配がありません。**

仕事には失敗がつきものなので、感情だけに振り回されると次のステップに進むこともできなくなってしまいます。だからこそ仕事では論理的な考えを持つことをおすすめします。そうすることでネガティブゾーンに陥ることなく、次の行動に向けて気持ちを切り替えられるからです。

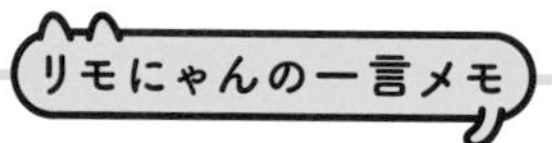

感情と行動を切り離して考えると失敗しても落ち込む心配はにゃい！

＼未来に向けて楽しく生きる！／

壁を乗り越える方法

壁が訪れるのは特別なことではなくて、誰にでもあること！
自分なりに乗り越える方法を見つけて、うまく先に進むことが大切にゃ！

こんな気持ちになった時、
順番に真似してみてにゃ

現状の頑張りを認める

自己肯定感が上がり活力が湧いてくる！

できるようになったこと
今日完了したタスク
1か月前からの成長

成功してる人に相談する

こんな日等はどうしたら良いにゃ
そんな時は…

1人で悩んでるときは
やめることを考えがちにゃ。
既に成功してる人に聞くことで
一発解決することも多いにゃ！

何もしない時間を作る

休むことは
怠けることでは
ないにゃ

本日休業

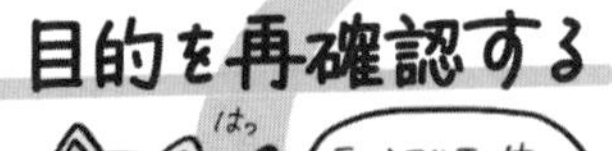

目的を再確認する

投げ出したあとの未来を想像する

やっぱりもっと
成長したいにゃ！

＼隣の芝は青く見える!?／

人と比較してしまうときの対処法

自分と他人は違う人間だからこそ、比べてもただ落ち込むだけで意味はないにゃ。
大事なことは自分が一番のライバル！と思うこと。比べるなら過去の自分にゃ！

比べるのは他人ではなく「過去の自分」にゃ！

良いリーダーは、
信頼関係を作るために実は
いろんなことをしているにゃ！

ついていきたい！と 思ってもらえる リーダーシップ論

＼目指すは素敵リーダー！／

良いリーダーってこういうこと マネジメント上手のコツ

1 現在の目標をヒアリングする

2 その人の未来（ビジョン）に合う仕事を振る

3 不得意な仕事を振らない

	事務	デザイン
リモにゃん	△	◎
ネガにゃん	◎	△

リモにゃんはデザインにゃ

4 指摘は1対1で伝える

5 人前で恥をかかせない

6 定期的に1on1する

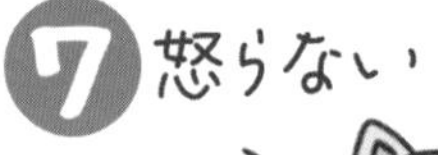

7 怒らない

8 クオリティの低い納品物が上がってきたら反省する

9 最低限のルールだけ設定して自由にさせる

お互い心地良くお仕事をするにゃ！

人材は宝！　責任感を持って現場の空気を作っていこう

良いリーダーとは、部下やまわりの人間が気持ちよく動ける環境を自然と作れる人を指します。そのためにはマネジメント上手になって、戦略的なコントロールもできるようになるといいです。

リーダーになると自分の仕事ができることは当たり前で、事業全体のプロジェクトの期限だったり、質の確保だったり、チームの中にいるメンバーの管理だったり、やるべきことと責任が一気に増えます。

だからこそマネジメント上手になるコツを覚えて、まわりとのコミュニケーションを円滑にしていく必要があります。リーダーとして現場や部下に合わせてこれらのことに気をつければ、一気に責任感もアップしてまわりがついてくる人間になれるはずです。

人材は宝。採用コストもしっかりかけているからこそ、リーダーになったからには責任感をもってまわりと関わっていくというこころがまえを持つことがまずは大事なことといえます。左の9個のコツはあくまで例えなので、自分の現場に合わせながらアレンジしてください。

パッと見て参考にできる図解「褒め上手の法則　みほこさん」「かりてきたねこの法則」も後半に用意したので、ぜひ眺めてもらいたいです。

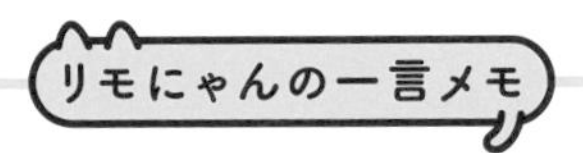

人を気持ちよく動かせるマネジメント力でデキるリーダーの座をゲットにゃ！

＼リーダーに必要な目、発表！／

鳥の目、魚の目、虫の目

チームリーダーに必要とされるのは鳥、魚、虫の３つの目にゃ！
全体・流れ・細部を見て、よりよいリーダーを目指すにゃ！

全体を見る 鳥の目

全体のお仕事を把握

・どんな業務があるか
・誰がどんな業務を担当しているか など

鳥は空高く飛ぶから
全体を広く見渡せるにゃ！

流れを見る 魚の目

時流を捉え未来を見通す

・会社が今後どう展開するか
・世の中の動きに合わせて決断 など

魚は川や海を泳ぎながら
流れを見れるにゃ！

細部を見る 虫の目

問題点・改善点を把握

・目標に対して数値は大丈夫か
・どこで止まっているか など

虫は小さいから細かい
部分まで見れるにゃ！

おまけ

他の人の視点で見る
コウモリの目もあるにゃ！

追い詰められている時こそ
逆の視点でものごとを見てみると
新しい気づきがあるかもにゃ！

広い視野、適応力、細部へのこだわり すべて備えたリーダーが求められる

リーダーシップを発揮するためには、広い視野と細かな観察力が不可欠です。この観点から「鳥の目」「魚の目」「虫の目」という3つの視点が重要です。

「鳥の目」は高い場所から全体を見渡す視点を指します。チームやプロジェクトの全体像を把握し、長期的なビジョンを持つことが求められます。組織の方向性を示し、戦略的な決定を行う際に役立ちます。

次に、**「魚の目」は水中を泳ぐ魚のように、状況の流れを理解する視点です。**リーダーは市場や業界の動向を把握し、変化に対応する柔軟性が必要です。迅速な意思決定や適応力を養うために重要です。

最後に、**「虫の目」は地面の細部を見つめる視点です。**リーダーは細部に注意を払い、問題の根本原因を見極める力が求められます。この視点は、効率的な業務運営や問題解決に不可欠です。

これら3つの視点は、**リーダーだけではなくキャリアを積み上げたい人にとっても重要です。**広い視野を持ち、変化に敏感であり、細部にまで目を向けることができれば、どのような環境でも活躍することができます。リーダーシップのスキルを高めるためには、日常的にこれらの視点を意識し、バランスよく養うことが重要です。

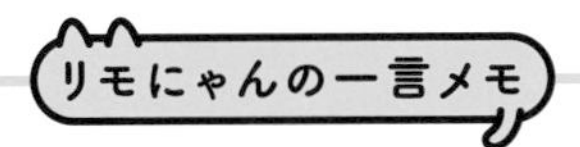

**どれかひとつの視点に偏らず
いろんな側面から見るにゃ。**

＼良いリーダーの伝え方！／

意義・成果・行動、3つの目標でやる気アップ！

目標の伝え方で部下のやる気に大きく差が出るにゃ

まずは
3つの目標を理解するにゃ！

意義目標

商品で子供たちを喜ばせましょう

すごい商品を残して
みんなに知ってもらいたいにゃ！

成果目標

この資料から新しい商品が出来ます

自分の作った資料から
商品ができるにゃ

行動目標

資料をまとめて下さい

資料作成ばっかりで
やりがいがないにゃ〜

上司やリーダーはいかに部下に
未来を理解してもらうかが重要にゃ

部下のやる気を引き出すいい方法は目標の伝え方次第で変わっていくもの

部下に仕事を頼む時に、目標の伝え方次第でその仕事へのやる気に大きな差がつくことを知っていますか？

仕事の目標は大きく分けて3つ。資料まとめなど現在の行動にとどまる仕事は行動目標、その資料のまとめによってどのような成果が生まれるかという仕事は成果目標、そしてさらにその資料まとめのおかげで世の中に役立つ商品が生まれ、それが未来において大きな意義を持つという仕事は意義目標となります。

同じ資料集めの仕事でも、ただ集めてほしいと伝えるよりもその仕事が将来どれだけ役に立つのかを知っていた方が部下もやる意味をもって仕事に取り組めるということです。それは、目標までの進捗状況をフィードバックして自分の仕事の影響を教えてあげることもそうだし、部下の個人的な価値観やキャリアにとってどのように一致するのかを伝えることも重要です。

現在だけでなく未来を理解してもらったうえで仕事を頼む。これだけで部下のやる気は確実にアップして、期待以上に育っていくので頼む側の意識として3つの目標を頭の中に入れておくと良いでしょう。

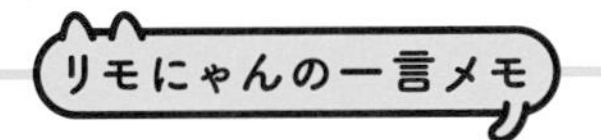

行動よりも成果、成果よりも意義のある目標を伝えて部下を育てるにゃ！

＼見やすさを徹底的に重視！／

マニュアル作りに力を入れよう

マニュアル作りのメリット

・同じ質問を受けなくなる
・チームの共通認識ができる
・人が替わっても出来る
・マニュアルにないことを聞いてもらえるようになる

マニュアルがあることによって
仕事のインプットが速くなる

マニュアル作りのポイント10

できているかチェック

- 10人中10人に伝わる内容にする
- マニュアル作りの目的を決めて作る
- 誰向けなのかを決めて作る
- 専門用語には注釈を入れる
- 図解やグラフを入れて読みやすくする
- 常に更新日時を入れて最新版に更新する
- 目次を入れる
- ステップ順に書く
- 難しい議題は身近な例に例える
- アクセスしやすい場所に置く

誰もがわかるものを用意して小さなミスを事前に防ぐ！

マニュアルは、将来的にその仕事を誰かに託す可能性がある場合、たとえばその可能性が1%でもあるなら引き継ぎのためにもあったほうがいいものです。**マニュアルがあることで、仕事を1から教えなくてもよくなるし、引き継がれた相手にとっても何度も同じことを聞く必要がないのでストレスも減るし、ミスも軽減できます。**

マニュアルがないとぶっつけ本番になって、ミスが続出なんてことになりかねないので、作業の効率化のためにもマニュアルはあって損はないはずです。

ちなみにマニュアルをつくるうえで注意したほうがいいことは、書いたことが絶対ではなく、マニュアルは常にブラッシュアップされていくものと意識することです。守らなきゃいけない項目、続けていくべき項目があったとしても、臨機応変に変える項目も必ず出てくるので、そこはきちんと伝えておくべきです。そうしないとマニュアルだけで動く人間が増えてしまい、何か起きたときに自分で責任を取れなくなるからです。そしてもちろん、読みやすさにも気をつけること。誰が見てもわかりやすいマニュアルにすることで仕事も覚えやすくなるので、更新するたびに全体を見返してもいいかもしれません。

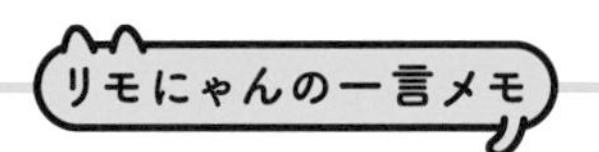

マニュアルには必ず更新日時を入れて最新バージョンをわかりやすくするにゃ！

＼過剰な期待は逆効果！／

やる気は引き出そうとしない

基本は期待しないスタンス

やる　やらない

やるかやらないかはその人次第

なぜなら
やる気が出るタイミングは
その人によって違って
コントロールできないから

最低限これだけは伝えよう！

1. 現状の評価
2. 今の役割と理想の状態
3. 理想の状態までに必要なこと

部下のやる気に期待するのはNG
最低限伝えたら本人にまかせる！

やる気というものは本人次第で、リーダーだからといってコントロールできるものではありません。やるかやらないかはその人の選択によって変わってくるので、無理にやる気を引き出そうとすることは逆効果です。例えば、自分時間を大切にしたいからそこそこ稼げればいい人、子供が生まれるから貯金をしたい人、仕事が好きでとにかく働きたい人、家を買うために夫婦共働きをしている人。それぞれの仕事へのやる気はバラバラなので、リーダーができることは次の3つを伝えるだけです。

現在与えられている仕事に関しての評価、今の役割とこれからの理想の状態、そして理想の状態になるまでに必要なこと。これらを伝えたら、ここから先やるかやらないかはその人次第となります。

やらない人にはそれなりの人事評価をつけて違う役割をあてがい、やる気がある人はさらに引き上げて評価を上げていく。最低限のことを伝えるだけで部下のやる気は勝手に上がるので、リーダーはそのタイミングを無理に、ではなく自然に待つのみ。いらぬ期待をかけることはお互いを傷つけることにもなりかねないので、避けるべきと言えます。

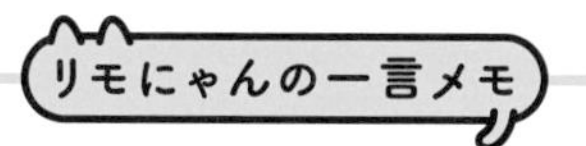

**やる気のタイミングはその人次第にゃから
見守る方式であたたかくサポートするにゃ！**

＼無茶振りはNG！／

小さな仕事から任せていく

✕ いきなり大きな壁を設定しない

○ 小さな仕事から任せていく！

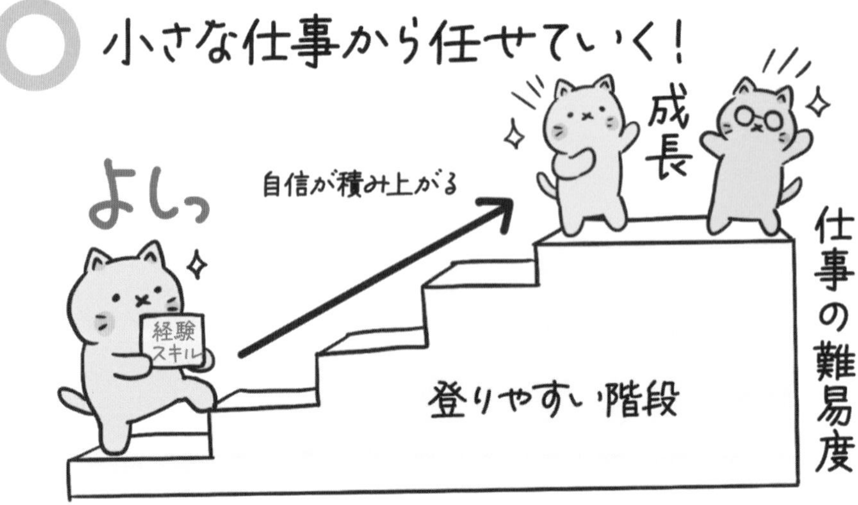

小さなことからコツコツと仕事の任せ方は階段のように!

部下のモチベーション管理をする上で大事なことのひとつが、まずは小さい仕事を任せて成功の経験を増やしていくことです。成功の経験が増えると自然と自信がついてくるので、だんだんとレベルアップして自己肯定感も高まっていきます。

最初から大きな仕事を上手にこなせる人間はいないのに、いきなりレベルの高い仕事を求めると、失敗して挫折につながりやすいです。仕事のレベルは徐々に上げて、登りやすい階段を作ってあげることで部下自身のレベルも上がり、仕事を着実に覚えていくのです。

つまり、部下を成長させるには今の成長を邪魔しないこと。

人の成長の速度はさまざまなので、その部下に合わせたレベルの仕事を与えて、無理はさせない。この見極めがポイントになってきます。ちょっとずつ積み上げていくことで、最初のときよりも確実に高い壁を乗り越えられるようになるので、そのタイミングを見ながら新しいことに挑戦させていくのがいいリーダーと言えます。部下もこれまでの信頼関係があるからこそ、新しく任されたことに喜びを覚えるのです。逆に無茶振りは悪いリーダーの特徴なので、気を付けてください。

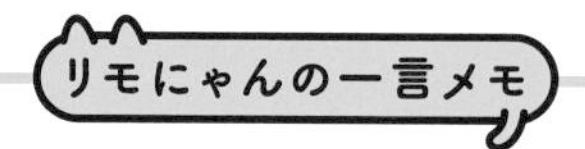

ゲームを1面ごとにクリアさせる感覚でお仕事を任せると思えばいいにゃ。

＼ 立場の意識を再確認！ ／

リーダーの役割一覧

1
チーム内のコミュニケーションルールの設定

2
部下のモチベーション管理

3
タスクの優先順位付け

4
成果の管理と評価

フィードバックを欠かさないにゃ！

5
業務プロセスの変更への対応

6
風通しの良い雰囲気作り

7
部下のワークライフバランスの維持

8
リーダーシップスキルの継続的な向上

9
模範となる行動

リーダーがビジョンを実現し チームの可能性を引き出す

これからのリーダーには、左の図解の役割に加えて、新しい働き方や価値観に対応する能力が求められます。たとえば、リモートワークの普及により、リーダーは部下との距離感を保ちつつ、信頼関係を築くことが必要です。また、多様性の重要性が増す中で、誰もが尊重され安心して意見を述べられる環境を整えることも重要です。

さらに、リーダーは変化に対する適応力を高め、迅速に意思決定を行うスキルを持つことが求められます。これは、急速に変わるビジネス環境において競争力を維持するために不可欠です。

これからリーダーを目指す方は、まず自らのリーダーシップスキルを絶えず磨き続ける必要があることを強調したいです。リーダーシップは静的なスキルではなく、常に進化するものです。まずは、自分自身が模範となる行動を示し、ロールモデルとなることが大切です。

そして、チームの成功はリーダーだけの力ではなく、全員の協力によって成し遂げられるものです。部下との信頼関係を築き、意見やアイデアを積極的に取り入れることで、より強固で創造的なチームを作り上げてください。未来のリーダーたちが持つ可能性に期待し、共に成長し続けましょう。

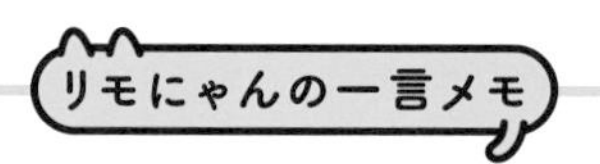

みんなの魅力を引き出せる
リーダーになりたいにゃよね！

＼ 正しく知ることが大事！ ／

人が成長する仕事の評価方法

部下を育てたい時は
正しくフィードバックすることが大切にゃ！

正しい評価の仕方

例

資料を作って欲しいと
依頼した時

ステップ01 基準を明確にする

ここまでは出来てほしいという
基準を決めて部下に共有する

ステップ02 5段階評価にする

具体的な数字でフィードバック
することによって
基準のすり合わせをしやすい

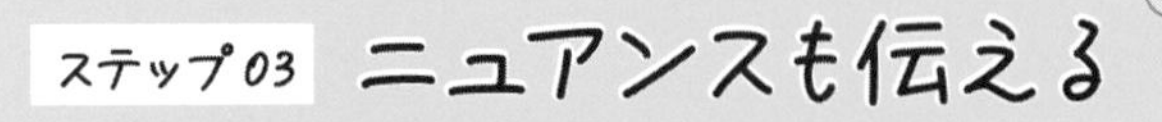

ステップ03 ニュアンスも伝える

数字だけではわかりにくい
具体的な良かった点や
伸びしろをフィードバックする

明確に基準を伝えることで部下にとって
求められていることがわかりやすくなるにゃ

フィードバックの仕方次第で人の成長もガラッと変わります

仕事の評価は、個々の成長を促すための重要な要素です。

①基準を明確にする

自分が何を期待されているのかを理解しやすくなります。例えば、営業部門では「月間売上目標達成率」「顧客満足度」など具体的な指標を設定することが考えられます。これにより、自分のパフォーマンスを客観的に評価でき、目標に向かって努力する動機づけが生まれます。

②5段階評価にする

評価の透明性と公平性が向上します。例えば、月間売上目標達成率90%以上で「優」、70%〜89%で「良」といった具合に具体的な基準を設けます。

③ニュアンスも伝える

数字やスコアだけでなく、評価の際にはニュアンスも伝えることが重要です。例えば、「顧客対応が非常に丁寧で、顧客満足度が高かった」といった具体的なポジティブなポイントや、「今後は時間管理をもう少し改善するとさらに良くなる」といった建設的なフィードバックを提供するのがおすすめです。

このように評価方法を工夫することで、成長を促し、組織全体のパフォーマンス向上につながります。

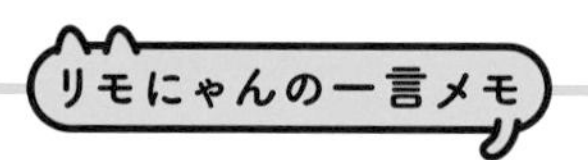

フィードバック次第でその後の成長速度も変わるにゃ。

＼ 意識すると親近感UP！ ／

褒め上手の法則　みほこさん

人間関係をうまく運ぶ天才、みほこさんの法則であなたも周りの人を褒めてみるにゃ！

＼人としても大事な法則！／

できる上司の指摘の仕方 かりてきたねこの法則

リーダーとして時には部下を叱ることも必要にゃ。そんなときはただ叱るのではなく相手のやる気を引き出す「かりてきたねこの法則」で意味のある叱り方をするにゃ！

感情的にならない

理由を説明する

手短に話す

キャラクターに触れない

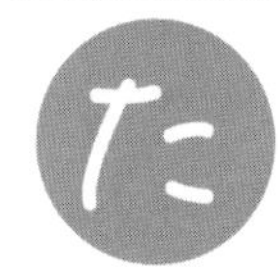

他人と比較しない

根に持たない

個別に伝える

参考文献：渡辺卓『あなたの職場の繊細くんと残念な上司』青春新書インテリジェンス p96

今やっている仕事の意義が
わからなくなったら、
一度人生から考えるといいにゃ！

Chapter 9

自分の人生と向き合う キャリアプランニング

＼仕事と人生の関係を知る！／

キャリアプランの良い例・NG例

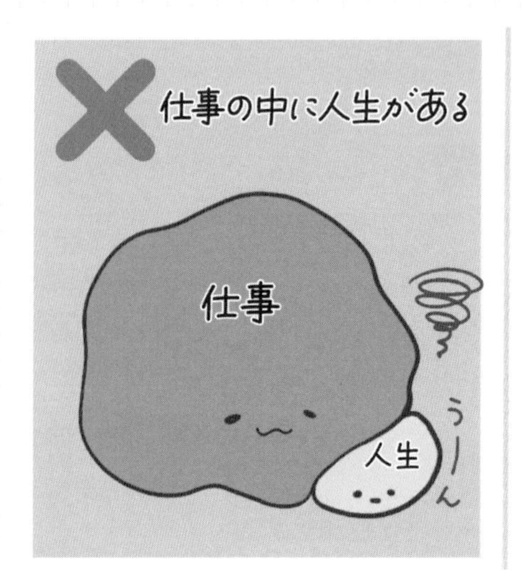

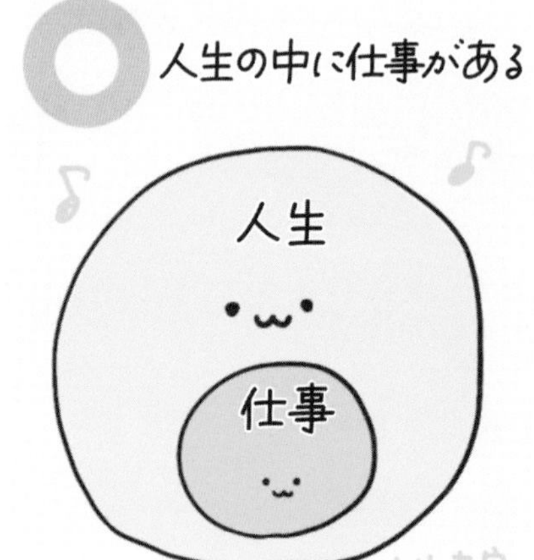

理想が実現できるキャリアを目指すにゃ！

仕事は人生の中の一部

キャリアプランとは、人生や仕事における将来の自分の理想像を実現するための具体的な行動計画のことです。このキャリアプランを立てるときに、よく働く日本人でありがちなのは、仕事を中心にして残りを人生にしてしまうこと。

こうすると、平日は毎日仕事で土日の余った時間でプライベートを楽しむしかなくなってしまいますが、それは大きな間違いです。

あくまで中心になっているのは自分の理想の人生で、その人生を送るための仕事とは何か、と考えるとよりよいキャリアプランが立てられます。

例をあげると、60歳までに世界一周をしたいという目標があるとします。それならばどれぐらい稼ぐべきか、健康的に無理はないかと考えて、長く続けられる仕事を目的を持って選べるようになります。

まずは自分のなりたい理想の人生となりたくない自分の人生を想像して、そのあとはきちんと書いておくことが大事です。それを見える位置において毎日目にすることで、徐々に今の人生と理想の人生のギャップに気づいて、何が本当に必要なのかを知ることができます。

できるできないはさておき、理想を明確化して意識を変えましょう。

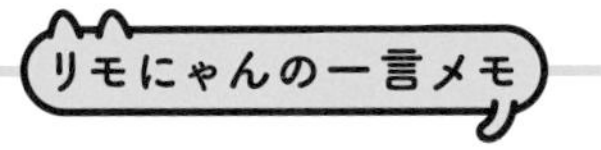

なりたい自分の理想像は文字や絵にして可視化することがポイントにゃ!

＼想像が実現につながる！／

自分の年収と生活レベルを想像する

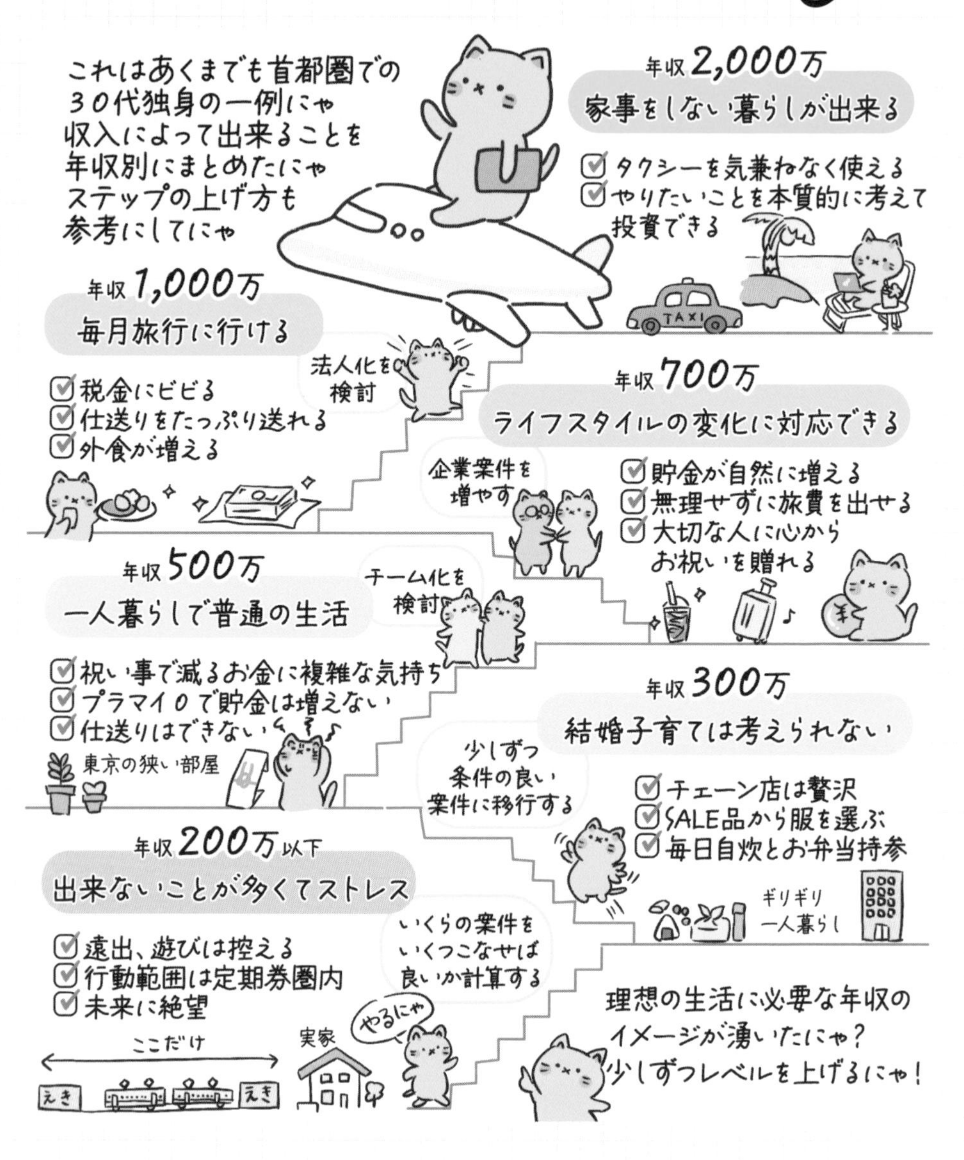

お金で変化する生活の質を知る

自分の理想の人生を送るためにはどれくらいの生活レベルを保っておくべきか、どれくらいの年収が必要なのか、これをきちんと知ることはキャリアプランにおいてすごく重要です。

そしてキャリアプランは人それぞれで、正解がひとつじゃないことをわかっておくのも大事。

例えば自分が首都圏在住の30代独身の場合、どれくらいの部屋に住みたいか、どの程度の趣味に没頭したいかで必要なお金も変わってきます。もし、今よりも200万円年収を増やしたいとなったら、ひと月に換算すると約16万円、さらに1日に換算すると約5000円を今より稼がないといけなくなります。そのためにはどんな副業をするのか、もしくは転職で年収を上げるのか。

このように**自分の理想の生活のためにいくら必要かをしっかりと知っておけば、どんな仕事をして、いくら稼ぐべきか、そのためにはどんなスキルが必要で、今自分にできることはどんなことなのかがハッキリと見えてきます。**

年収と生活レベルのバランスの正解は自分でしか出せないのです。

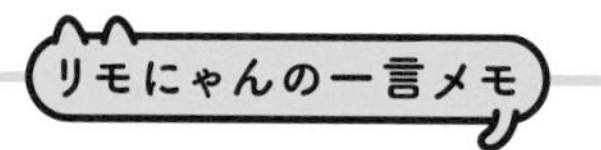

理想の生活を具体的に
イメージすることが大事にゃ。

＼リアルな道筋を認識！／

理想からの逆算

理想に近づくためには現在地点と理想像のギャップを知って
次の行動を決める逆算思考がマストにゃ
この図を参考に理想までの道のりを見直してみてにゃ！

逆算の手順

1 現実を知る
例：会社員、なかなか休みがとれない
スキル：〇〇　収入：〇〇円

▼

2 理想を言語化する
例：好きな時に旅行へ行きたい！
スキル：〇〇　収入：〇〇円

▼

3 理想と現実のギャップを埋める行動をする
例：〇月までに資格をとって昇給する

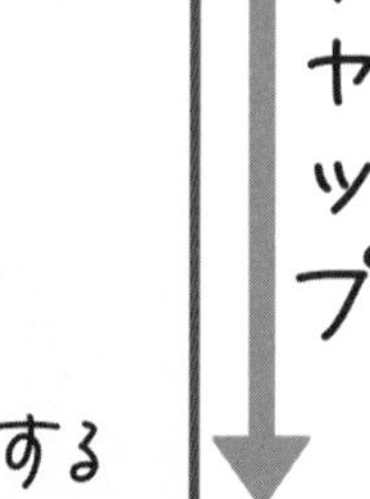

逆算思考で理想を確実に実現するにゃ！

今行動すべきことを具体化する

今の自分を知るためには、理想から逆算していくのがいちばん早いです。なぜなら、**理想を具体的にすることで、理想と現実とのギャップが見えてくるからです。このギャップを埋めるために今、どんな行動をすべきか、または何を変えるべきかがハッキリとしてきます。**

その行動がスキルアップなのか、そもそも仕事を変えることなのかは人それぞれですが、理想と現実の差を埋める行動の一歩を踏み出さないと現状維持もしくは衰退していくだけ。

たとえばダイエットの場合、具体的な理想体重があって半年以内に5kg落としたい場合、どれくらい摂取カロリーを減らして、どれくらい運動量を増やすか具体的なタスクを決めれば理想に近づけます。

人生もこれと同じです。半年単位や3日単位などの理想に近づくための逆算はよくやっていると思いますが、人生単位となるとその逆算が難しいと思われがち。でも基本は同じです。一歩ずつでもいいから理想と現実のギャップを埋めていく作業をすることで、人生がとても歩きやすくなるので、ぜひやってみてほしいです。

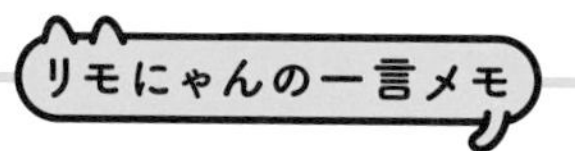

人生単位の逆算が難しいときは
年単位の逆算からはじめるといいにゃ！

＼具体的に決めるのがカギ！／

目標と行動計画の立て方

目標設定のコツ

☑期限
☑数値
で具体化！

どういった状況になれば
目標達成したか
分かるため！

✕曖昧な例

○良い例

行動計画のコツ

1年後に達成するために何をすべきか
行動プランを設定する

1 1年後 ○月○日
☑理想の状態に必要な条件やすべき行動を入れる

2 半年後 ○月○日
☑現在との差を埋める条件や行動を入れる

3 3ヶ月後 ○月○日
☑すぐに実行できそうな条件と行動を入れる

逆算して行動するにゃ〜!!

曖昧な目標を立てるだけでは人は行動しにくいって、本当

目標を叶えるためには、きちんとした目標設定が必要です。そしてその目標設定のコツは、具体的な期限を日付単位で決めることです。

何かの目標を達成したいとき、その期限を1年後などざっくりしたものにしてしまうと、永遠に1年後のままで目標達成の日は延びるだけです。**きちんと達成するためには、何月何日と必ず日付を決めることで自分の中でもやらなくてはいけないという気持ちが芽生えます。**

ではその目標設定の日をどう決めるか。これは、適当に決めるよりも自分の誕生日や大切な記念日など自分にとっていい日にするのがおすすめです。なぜなら気分よく過ごしたい日にすることで、必ずそれまでに目標を達成しようとモチベーションが上がり、行動に移しやすいからです。

例として、結婚式までに痩せたい花嫁さんの話があります。結婚式は花嫁さんにとってすごくおめでたい日なので、そこまでに痩せるというミッションを叶えるためにはどんな行動をどんなペースで進めるべきかがハッキリして、意志も強く持てます。

ちなみにいきなり長いスパンで目標設定をするのはハードルが高いので、中間目標を設定するのもおすすめです。

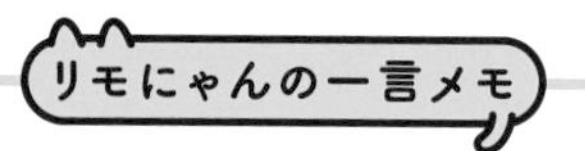

実現可能な短・中・長期の目標を設定するにゃ！

＼得意の強化でスキルアップ！／

苦手を克服→得意を伸ばす

学生時代と社会人では考え方が違うにゃ
社会人になったら得意分野に集中するにゃ！

学生時代

苦手科目を克服すると
効率よく成績をUPできた

受験では合計点数を
伸ばす必要があった

社会人

苦手より、得意を伸ばした方が
成果が上がりやすい

仕事は1人でするわけではない
自分の苦手は誰かの得意！
周りを頼ってもいい

自分の苦手は誰かの得意！無理に克服しなくてもいい

学生時代はテストで100点満点をとるために、苦手科目があったらいかに克服をして平均の成績をよくするかを考えていたはずです。**でも、社会人になると100点満点というものはなくなって、プログラミングが得意な人、事務作業が得意な人、営業が得意な人と、とそれぞれの得意分野で、どこまでも上につきぬけてよくなります。**

つまり、学生時代は全教科を100点に近づけることが成績を上げるために必要だったことが、社会人になるとひとつでもいいから自分の得意分野を伸ばせるだけ伸ばしたほうが、自分にしかできない仕事をまかされて、自分の必要性が高まっていくということになります。

営業が得意なら事務やプログラミングはできなくてもいいですし、会社としてはそれぞれの役割を高い能力でできる人のほうが価値が高くなるということです。

無理に苦手を克服するのに時間を費やすよりも、得意なことを伸ばしていく方が自分の価値が上がっていくので、限られた時間は得意なことを伸ばすほうに割くほうが効果的です。

これは学生と社会人との大きな差で、100点というゴールがないぶん、得意なものを伸ばして自分にしかできないことを追求したほうがいいというお話です。

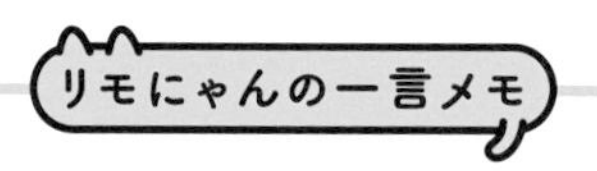

誰かの苦手は自分の得意と考えるにゃ！

＼働き方がコレで改善！／

仕事に対する向き合い方

1 使命

誰かのために
自分がやりたいこと

2 人生

理想の生活を
送れること

3 社会

欲しいにゃ！

助かるにゃ！

世の中で
求められていること

1、2、3 のバランスが取れた
働き方をするにゃ！

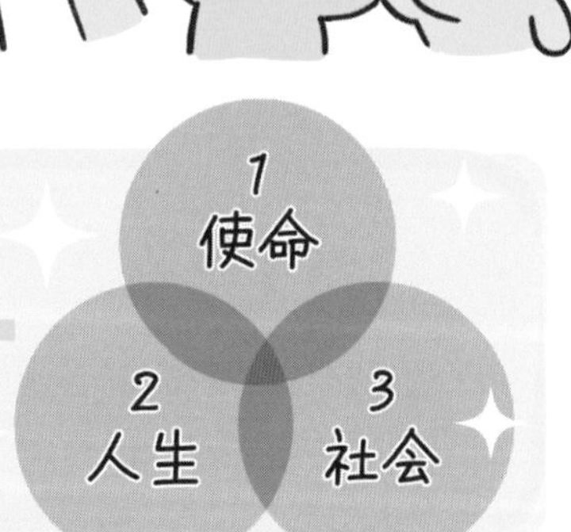

自己理解を深めれば深めるほど仕事に対してプラスに向き合える

仕事に対する向き合い方には次の3つが挙げられます。まずは、使命。これはお金など関係なく誰かのためにやりたいことで、自分の人生をとおしてやりたいと思えるかどうかの使命感です。

2つ目は人生。これは最低限の生活を送るために実現したいことです。つまり、理想と同じ意味です。

最後の3つ目は社会。これは社会から求められていることです。

これらの3つのバランスがしっかりとれている仕事こそ、自分にとってのベストな仕事と言えます。

この仕事は本当に自分のやりたいことで、それは理想の生活を送れるレベルのもので、世の中に求められていることなのか。

自己理解が深まっていればいるほど、仕事に対してきちんと向き合えます。そして自分を満たせている人は、人のことも満たしてあげられるので、自分の仕事に対して納得感を持つことができます。

つまり仕事で満たされれば、人に対する考え方も変わって、相手のことをきちんと思ってあげられることにもつながります。何が大切なのか、今一度振り返ってみるのもいいかもしれません。

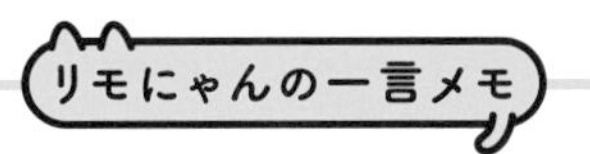

仕事に対する向き合い方が変われば人に対する考え方も変わるにゃ！

＼必ず見つかる方法を伝授！／

あなたの強みの見つけ方

強みも自己肯定感もない！という方はこういう風に整理してみると良いにゃ！

1 褒められること

褒められることを書き出してみる

(例)
- 相談しやすい
- 字が綺麗
- 話しやすい
- 丁寧
- 聞き上手
- 真面目

2 モヤモヤすること

言い換えてみる

- 配置がバラバラな資料にモヤモヤ
  → 見やすく整えることが得意
- 適当な対応にモヤモヤ
  → 丁寧な対応ができる

Point! モヤモヤの裏には自分が大事にしていることが隠れているにゃ

3 短所だと思うこと

言い換えてみる

- せっかち
  → 決断が速い
- 頑固
  → 芯が強い
- 心配性
  → 責任感が強い

4 感謝されたこと

感謝されることを分析してみる

- 悩みを聞いて感謝された
  → 傾聴力がある
- アドバイスをして喜ばれた
  → 問題解決力がある

5 達成感を覚えたこと

達成感を感じたことを分析してみる

- ピアノを7年間習ってきた
  → コツコツ続けられる継続力がある
- 志望校に合格した
  → 計画的に物事を進めて目標達成能力がある

まとめ

強みの見つけ方

1. 褒められること
2. モヤモヤすること
3. 短所だと思うこと
4. 感謝されたこと
5. 達成感を覚えたこと

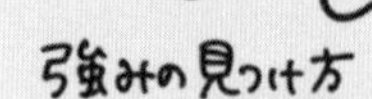

1～5を定期的に見返すことであなただけの強みを再発見でき、自信を持ってお仕事に臨めるにゃ

》自分の本当の強みは過去の経験から発見できる

人は自分ならではの強みがないと自己肯定感も下がってしまう生き物です。だからこそ、自分の強みをきちんと知っておくことは大切で、その見つけ方をわかっておくと安心です。

自分の強みはこれまでの人生の中で見つけられるものです。

たとえば、過去に人から褒められたことを書き出してみるとそこに自分の強みが隠れています。また、人に対してモヤモヤすることを逆転の発想で、自分の強みに言い換えることもできます。

他にも、短所を長所にとらえてみたり、人から感謝されるのが多い分野や達成感を強く覚えることも自分の強みにつながります。

このように自分の強みについてじっくり考えられることができれば、それもまたひとつ気づける力として強みになります。

これまでの過去の経験から強みは意外と簡単に見つかるものなので、ネガティブだと思っていたことをポジティブに変換する力を鍛えながら探してみるのもひとつの手です。

もちろん、これから経験することで強みが見つかるケースも多々あるので、ひとつひとつの経験を注意深く観察して、自分の強みを探していくというのも大いにアリです。

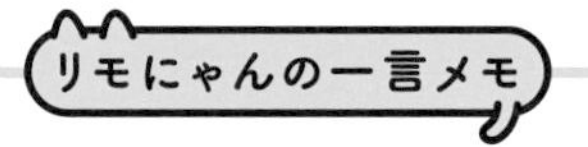

強みを見つければ自己肯定感も高まって仕事にも自信が持てるにゃ。

＼自分だけの価値を発見！／

市場価値を上げる方法

✕ 市場価値が低い人＝できる人が多い状態

○ 市場価値が高い人＝お願いしたい人が多い状態

誰でもできること＝市場価値が低い！自分だけにしかできないことを探そう

市場価値とは、人材に対する需要と供給のバランスによって決まる指標のようなもので、需要に対して供給が足りていない状況になると市場価値が高くなります。

わかりやすく表現すると、**“誰もができる作業”は市場価値が低くて、お給料も下がるし、“自分にしかできない専門性がある作業”はほかにできる人がいないからこそ市場価値が高くなり、お給料も上がるということです。**

今後、生成AIが発達して多くの企業が採用するようになると、単純作業は生成AIでもいいと見なされてしまい、**単純作業しかできない人の市場価値はどんどん下がってしまいます。だからこそ、人間にしかできないスキルを伸ばすことが大事です。**

具体的には、生成AIを使いこなせる側になり、会社や取引先について詳しくなり、あらゆる提案ができるようになるなど……。専門技術や問題解決手段を効率良く取り入れられる方法を身につけ、変化する社会に気後れせず適応していくことが大事です。

会社の業績を上げるためには自分が必要だと思われる市場価値を上げるべく、専門知識を増やしたり、コミュニケーションをとることが必須です。

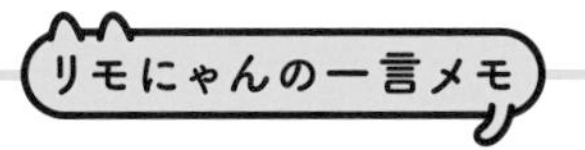

時代に合わせて市場価値を高めれば収入が上がりやすいにゃ！

＼諦めない力が決め手！／

停滞期の乗り越え方

理想の成長曲線と、現実の成長には差があることを知っておくにゃ

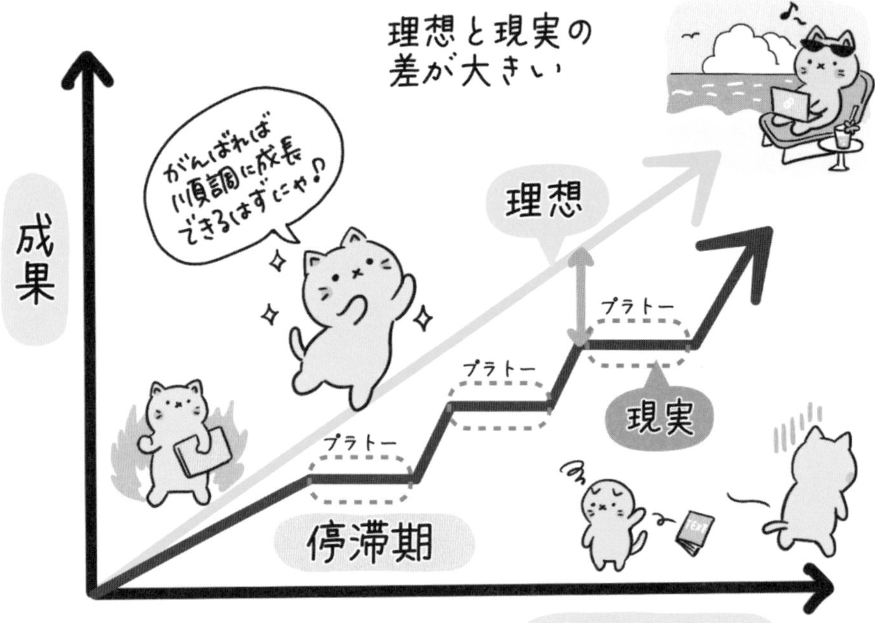

プラトー：成長を実感できない停滞期のこと

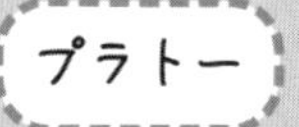

の時期に陥りやすい考え

▶向いていないのではないか
▶もう伸びないかも
▶諦めようかな

停滞期で苦しい時期は今後一気に成長するための
レベル上げ期間だと考えるにゃ！
ここで諦めないことが大切にゃ。

人生のほとんどは停滞期！考え方ひとつで楽に生きられる

人生において、マイナス思考になったり、やる気が出なかったりの停滞期はつきものです。ですが、そこでじっと止まっていては時間がもったいないです。ここではいかにして停滞期を乗り越えるかについてお伝えします。

なかなか自分の成長を実感できない停滞期のことを心理学用語でプラトーといいます。何かをはじめた時、最初は新鮮な気持ちで急激な学習と進歩を感じますが、ある程度慣れてくると新鮮味がなくなり平凡に感じる状態が続きます。これこそがプラトーに陥るサインです。このプラトーの時期は人生のほとんどを占めているといっても過言ではありません。

でもこの平凡な毎日こそが正常ということを忘れてはいけません。

平凡だからつまらない、平凡だから成長がわかりづらいというのは正常であって、ここで諦めてしまうとどんどんマイナス思考になってしまいます。停滞期になったら**自分には向いていないから諦めるのではなく、ただ単にプラトーの時期なだけで、このプラトーは誰にでも起こりうることと認識しておくことが大事です。**

人は満足をすると成長が止まりますが、満足しなければ停滞期はあっても成長は止まらないので、成果が出るまでには一定の行動量や時間がかかるということを頭で理解しておくべきです。

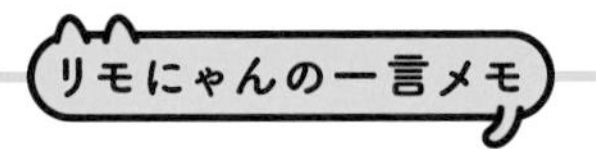

どんなすごい人にも停滞期はあるにゃ！
停滞期は特別なことじゃにゃい！

＼ 自分らしい働き方を探す！ ／

働き方は1つじゃない 考え方いろいろ

自分に合った働き方を選ぶにゃ！

	メリット	デメリット
正社員	■ 社員でいる限り安定した収入と雇用が期待できる ■ 社会保険や福利厚生など制度が整っている ■ キャリアの積み上げが可能で、昇進や昇給のチャンスがある	■ 仕事内容を自分で決められない ■ 仕事時間や場所を自分で決められない ■ 変化や新しいチャレンジへの柔軟性が制限されている
パート	■ 時間の融通が利きやすい ■ 家庭や他の事業と両立しやすい ■ 働く時間や曜日を選択できることがある	■ 収入が正社員より低い ■ 社会保険や福利厚生の面で不利になりがち ■ キャリアアップの機会が限られている
副業	■ 複数の収入源を持つことでリスクを分散できる ■ 自分のスキルや趣味を活かして収入を得られる ■ 新しいアイデアやネットワークを広げる機会が増える	■ 時間やエネルギーが分散されバランスを保つのが難しい ■ 稼ぎ始めるまでに時間がかかる
フリーランス	■ スケジュールや仕事内容を自由に決められる ■ 時給や企画ごとの報酬が高いことがある ■ 複数のクライアントと仕事ができるため柔軟性が高い	■ 社会保険や福利厚生などの制度が不十分 ■ 仕事によっては収入が不安定 ■ 仕事を得るためにスキルの獲得や自発的な勉強が必須
経営者	■ 自分でビジネスを経営し、ビジョンを実現できる可能性が高い ■ 自らの意思でチームを構築しリーダーシップを発揮できる	■ 常にビジネスの成長や収益性を確保する責任がある ■ 業務の多様性やストレスが高い ■ 失敗した場合の影響が大きい

働き方をもっと自由に

私たちの働き方にも様々な選択肢が広がっています。正社員／パート／正社員×副業／パート×副業／フリーランス／経営者 etc。多様な働き方が可能になり、それぞれのライフスタイルや価値観に合った働き方を選ぶことができるようになりました。

まず、正社員として働くことは、安定した収入や福利厚生が魅力です。パートやアルバイトは、家庭との両立がしやすく、自分の時間を確保することができます。また、正社員やパートで働きながら副業を持つことで、収入を増やし、趣味やスキルを活かすことも可能です。フリーランスとしての働き方は、自己実現や自由な働き方を追求でき、経営者として自分のビジネスを持つことは、さらに大きな挑戦とやりがいが得られるでしょう。

どんな働き方を選ぶかは、自分次第です。大切なのは、自分が目指すライフスタイルやキャリアの方向性に合った働き方を選び、無理なく続けられること。たとえ周りと違う選択をしたとしても、自分にとって最適な働き方であれば、それが正解です。

だからこそ、自分の働き方を大切にし、自信を持って前に進んでください。どんな選択をしても、新しい挑戦を恐れずに前向きに取り組んで、自分らしいキャリアを築いていきましょう。

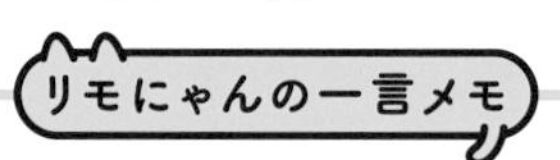

自分らしい働き方を
自分で選んでいいにゃよ。

最後にいつでも見返せる
いろんな早見表を
用意したにゃ！

Chapter 10

いつでも使える
シゴデキ早見表

アレだよ アレ!!

知ってるけど 読めない記号26選

記号		打ちかた	記号		打ちかた
❶	丸囲みの数字	「まるすうじ」数字を打って変換	├└┘│┌┐┬┼	階層を表す時に使う	「罫線」
＼	バックスラッシュ	「スラッシュ」「バックスラッシュ」	→	右矢印	(ローマ字入力)「z+l」「みぎ」
々	ノマ字点、漢字返し(同じ漢字の省略)	「おなじ」	←	左矢印	(ローマ字入力)「z+h」「ひだり」
〃	同じく(同じ内容の省略)	「おなじ」	↑	上矢印	(ローマ字入力)「z+k」「うえ」
~	チルダ URLによくついてる	Shift + ^	↓	下矢印	(ローマ字入力)「z+j」「した」
≒	ニアリーイコール	「イコール」「ニアリーイコール」	↔ ⇄	両矢印	「やじるし」
≠	ノットイコール	「イコール」「ノットイコール」	⇔	同値(数学)	「どうち」「やじるし」
＊	アステ(タ)リスク	「アステリスク」	⇒	ならば(数学)	「ならば」「やじるし」
•	なかぐろ	「め」のキー	【】	墨つき括弧	「」を押して変換
…	さんてんリーダー	「てん」	ゑ	むかしの「え」	we
∵	なぜなら(∵)顔	「なぜなら(ば)」	# 水平	ハッシュマーク	shift + 3
—	ダーシ、ダッシュ(文末の余韻)	「ダーシ」「罫線」「ダッシュ」	♯ ななめ	シャープ 似てるけど別物!	「シャープ」
ー	長音符(伸ばし棒)	「ほ」のキー	：	コロン	「け」のキー

打てない時の ①「記号」と打って探すにゃ!
最終手段…②Win「IMEパッド」、mac「文字ビューア」の召喚にゃ!

カンペ

記号をサラッと言えるネコになるにゃ

よめたにゃ

＼知ってた？／

読み方を間違えやすい漢字42選

漢字	×	○	漢字	×	○
代替	だいがえ	だいたい	発足	はっそく	ほっそく
反故	はんご	ほご	出納	しゅつのう	すいとう
添付	そうふ	てんぷ	会釈	かいしゃく	えしゃく
貼付	はりつけ	ちょうふ	所謂	しょかつ	いわゆる
嫌悪	けんあく	けんお	巣窟	すくつ	そうくつ
猛者	もうじゃ	もさ	各々	かくかく	おのおの
続柄	ぞくがら	つづきがら	何卒	なにそつ	なにとぞ
間髪	かんぱつ	かんはつ	欠伸	けっしん	あくび
凡例	ぼんれい	はんれい	挙句	きょく	あげく
相殺	そうさつ	そうさい	斡旋	かんせん	あっせん
押印	おしいん	おういん	数多	すうた	あまた
割愛	わりあい	かつあい	否応	ひおう	いやおう
進捗	しんぽ	しんちょく	引率	いんりつ	いんそつ
遵守	そんしゅ	じゅんしゅ	屋外	やがい	おくがい
完遂	かんつい	かんすい	疎い	そい	うとい
既出	がいしゅつ	きしゅつ	手繰る	てさぐる	たぐる
漸く	しばらく	ようやく	言質	ごんち	げんち
伝播	でんぱん	でんぱ	覚書	かくしょ	おぼえがき
雰囲気	ふいんき	ふんいき	隔月	かくづき	かくげつ
一段落	ひとだんらく	いちだんらく	生憎	なまいき	あいにく
愛猫	あいねこ	あいびょう	舌鼓	したづつみ	したつづみ

正しい読み方を知っておくと会話のレベルアップにつながるにゃ！

＼ビジネスに関わるまで知らなかった／

ビジネス系の横文字集

アサイン	割り当てや選任、配属するという意味
アジェンダ	予定表や行動計画のこと 会議での議題をリスト化したもの
アポ	アポイントメントの略 取引先などと会う約束を取り付けること
エビデンス	証拠・根拠など提案や主張をする際に必要な裏付けのこと
オンスケ	業務が予定通り進んでいること 予定変更は「リスケ」
クロージング	締めくくりのこと 契約の締結やそれに至る過程を意味する
KGI	「key Goal Indicator」の頭文字 最終目標のこと
KPI	「key Performance Indicator」の頭文字 中間目標のこと
コンプラ	法令遵守（コンプライアンス）の略 ルールやモラルに従うこと
サマリー	まとめやデータ要約などの意味
スキーム	計画や事業の枠組みや仕組みのこと
デフォ	デフォルトの略 初期状態のこと 定番と同義の場合もある
ナレッジ	価値のある経験や知識という意味
ニッチ	大手の企業は取り組んでいない分野 マニアック
ファシリテーター	会議などの場で参加者に発言を促したり話の流れをまとめる人
PDCA	「Plan→Do→Check→Action」の頭文字
ブラッシュアップ	磨き上げる、能力を向上させる、今の状態より質を上げること
ブランディング	自社商品の魅力を伝えるため独自の価値を生み出すこと
ペルソナ	商品やサービスなどの典型的なユーザー像のこと
マージン	売上における手数料 デザインや印刷分野では余白の意味
マネタイズ	技術や知識を収益化すること 無料サービスから収益を得ること
MTG	「meeting（会議）」の略

何個知ってる?!
よく使う拡張子一覧

PC初心者も知ってるものから始まり、下に行くほど専門分野で使われる拡張子にゃ

拡張子	読み	説明
jpg	ジェイペグ	軽い容量で美しい色彩を再現。jpegと同じ。写真保存によく使う。
pdf	ピーディーエフ	どの環境でも見られる電子文書。複数枚の資料共有などに使う。
png	ピング	透過画像にできる。低画質保存しても高画質に戻せる。容量多め。
txt	テキスト	Windows：メモ帳、mac：テキストエディットで編集可能。
docx	ドックエックス	Microsoft Wordで作成された文書データ。
xlsx	エックスエルエスエックス	Microsoft Excelで作成された表計算データ。
pptx	ピーピーティーエックス	Microsoft PowerPointで作成されたプレゼンテーションデータ。
zip	ジップ	品質を保持したまま容量を圧縮したもの。ファイル送信時に重宝。
gif	ジフ	透過可。色数が少ない画像向け。簡単なアニメーションにも向く。
mp4	エムピーフォー	高品質で一般的な動画ファイル。どの環境でも見ることができる。
mp3	エムピースリー	高品質な音声ファイル。音楽や音声配信サービスで使われる。
mov	エムオーブイ	Apple製品に適した動画形式。iPhoneやiPadで撮影したもの。
flv	エフエルブイ	FLASH VIDEOの略。OSやブラウザ環境を選ばず再生できる。
html	エイチティーエムエル	Webサイトの構築やデザインを編集する言語。
csv	シーエスブイ	テキストとカンマだけのデータ。文字情報を別のソフトに共有できる。
svg	エスブイジー	XMLコードで構成されたベクター画像。高画質写真には不向き。
eps	イーピーエス	高画質画像。ベクターとビットマップ両方の保存ができる。
psd	ピーエスディー	画像と編集情報の保持ができる。Adobe Photoshopで使われる。
ai	エーアイ	ベクター形式で保存されるAdobe Illustratorで作成されたデータ。
indd	アイエヌディーディー	ページものに特化したAdobe InDesignで作成されたデータ。
tiff	ティフ	超高品質画像。多くの情報を保存できるので写真家に人気。
heic	ヘイク	高品質で軽い。iPhoneとiPadで撮影した画像データ。

末尾にXがつくのはバージョンが2007以降のファイル形式

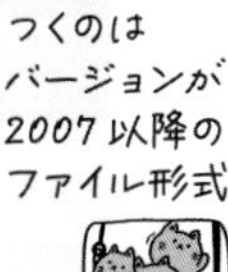

0～4個 初心者レベル

5～12個 中級者レベル

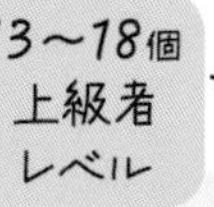

13～18個 上級者レベル

19～22個 オタクレベル

驚くほど使える！
Win & Mac
ショートカットキー集

ショートカットキーを活用して爆速で仕事を終わらせるにゃ！

[ ] → [⌘] Mac の人は黄色のキーをコマンドキーに置き換えてにゃ！

※ ⌘→Command（コマンド）

セットで使う

● コピー

Ctrl + C　選択した範囲をコピーできるにゃ

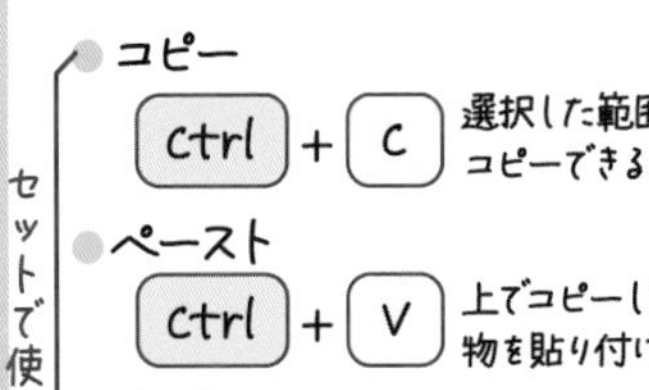

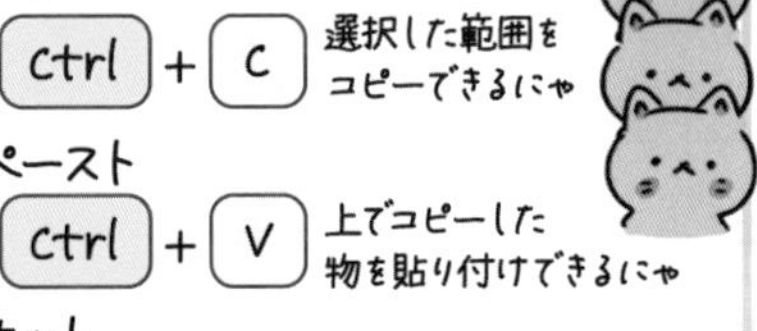

● ペースト

Ctrl + V　上でコピーした物を貼り付けできるにゃ

● カット

Ctrl + X　選択した範囲を切り取るにゃ

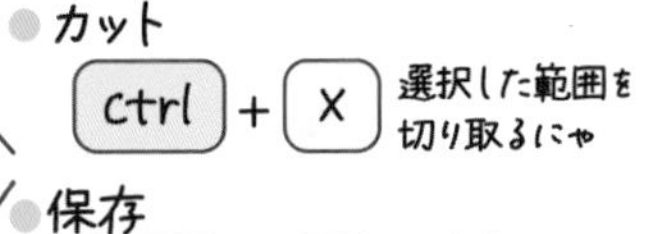

超便利！

● 保存

Ctrl + S　作業中の状態を保存できるにゃ！

● 元に戻す

Ctrl + Z　間違った時など一つ前に戻れるにゃ

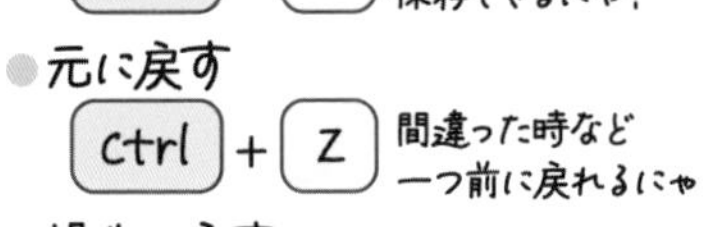

● 操作を戻す

Ctrl + Y　戻りすぎた時に使えるにゃ

Mac　⌘ + Shift + Z　Windows でも使えるにゃ

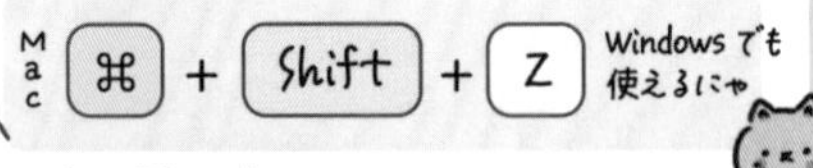

● 全て選択する

Ctrl + A　テキストやオブジェクトをまとめて選択できるにゃ

● プリントする

Ctrl + P　プリント（印刷）したい時に使えるにゃ！

● ページ内の単語を検索する

Ctrl + F　特定のファイルを探せるにゃ

● 新規ウィンドウ、文書を開く

Ctrl + N　新しいファイルやタブをすぐ開けれるにゃ！

● ウインドウを閉じる

Ctrl + W

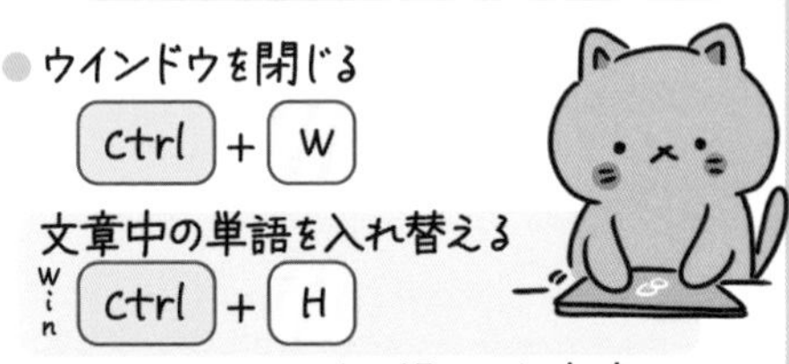

● 文章中の単語を入れ替える

Win　Ctrl + H

● スクリーンショットを撮って保存する

Win + Prtsc　保存されたスクショは「ピクチャ」に入るにゃ！

Mac　⌘ + Shift + 3　デスクトップに保存されるにゃ！

● 画面をロックする

Win　Win + L　休憩中に席を外す時に使えるにゃ！

● クリップボードを開く

Win　Win + V　直前に作業した内容が残っているにゃ

● ウインドウを最小化する

Win + D　（M）

● ブラウザで前のページに戻る

Alt + ←　（[）

● ブラウザで次に進む

Alt + →　（]）

検索スピードがアップするにゃ！

● ヘルプページを開く

Win　F1

● ひらがなをカタカナに変換する

Win　F7　文章を打ち込む時には必須にゃ

Googleショートカットキー

Googleドライブ ショートカットキー

- 新規フォルダ作成……Shift + F
- アップロード……Ctrl + O
- ダウンロード……Ctrl + S
- 元に戻した操作をやり直す…Ctrl +Shift + Z
- 開く(プレビュー)……Enter
- ファイルを移動……Z
- ドキュメント作成……Shift + T
- スプレッドシート作成……Shift + S
- プレゼンテーション作成…Shift + P
- 選択の移動……Shift + →/←/↑/↓
- 全選択……Ctrl + A
- 選択解除……Ctrl + Shift + A
- ファイル名を変更……N

Gmail ショートカットキー

- メールを新規作成……C ※Win
- 下書きを保存……Ctrl + S ※Win
- 送信……Ctrl + Enter
- 文字サイズを縮小……Ctrl + Shift + -
- 文字サイズを拡大……Ctrl + Shift + + ※Win
- 太字にする……Ctrl + B
- 斜体にする……Ctrl + I
- 下線付きにする……Ctrl + U
- メールを検索……/
- リンクを挿入……Ctrl+K
- 全員に返信……A ※Win
- 転送……F ※Win

ショートカットキーを使用するには カスタムキーボードショートカット を有効にする必要があるにゃ

Google Chrome ショートカットキー

- 下にスクロール……スペースキー
- 上にスクロール……Shift + スペースキー
- 前のページに戻る……Alt + ←(Mac:⌘+[)
- 次のページに進む……Alt + →(Mac:⌘+])
- ブックマークに追加……Ctrl + D ※Win
- 履歴を表示……Ctrl + H ※Win
- ページ内を検索……Ctrl + F
- 閉じたタブを復元……Ctrl + Shift + T
- タブを右に移動……Ctrl + Tab
- タブを左に移動……Ctrl + Shift + Tab
- 現在のタブを閉じる……Ctrl + W
- シークレットモード……Ctrl + Shift + N

||

プライベートブラウジングと呼ばれる
閲覧履歴やcookieなどのデータが
保存されないブラウザモードの一種にゃ

Googleカレンダー ショートカットキー

- 今日に移動……T
- 新しい予定を作成……C
- 予定の詳細を表示……Enter
- 予定を編集……E
- 予定を削除……Delete
- 予定を保存……ctrl + S
- 次の日付範囲に移動……N
- 前の日付範囲に移動……P
- カレンダーを更新……R
- 検索ボックスに移動……/
- 元に戻す……Z
- 指定した日付に移動……D

カレンダーの見え方を変える(ビューを変更)

1 または D … 日表示

2 または W … 週表示

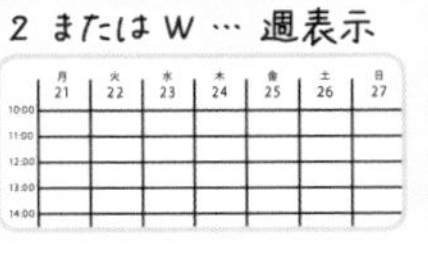

3 または M … 月表示

4 または X … 4日表示

5 または A … スケジュール

※Win…Windowsのみ

Macはctrlを⌘に置き換えてにゃ

爆速で使える！

エクセルショートカットキー

仕事でエクセルを使う機会は多いにゃ！
ショートカットキーを覚えておくとスムーズに使えるから
表にまとめてみたにゃ！

できること	ショートカットキー	補足
取り消し線をつける	Win Ctrl + 5 Mac ⌘ + Shift + X	文字の上に線を引けるから削除をせずに線で消せるにゃ
全て選択する	Win Ctrl + A Mac ⌘ + A	ページ全体を選択したい時に便利にゃ！
保存する	Win Ctrl + S Mac ⌘ + S	わざわざ保存を開かなくてもできるから安心にゃ
太字にする	Win Ctrl + B Mac ⌘ + B	強調したい部分を太字にするとわかりやすいにゃ
不要な罫線を削除する	Win Ctrl + Shift + / Mac ⌘ + option + ー	セルの枠線をかんたんに消せて便利にゃ！
通貨を表示する	Win Ctrl + Shift + $ Mac Control + Shift + $	通貨を使う時に一瞬で変換できるにゃ
日付を入力する	Win Ctrl + ; Mac Control + ;	その日の日付が一瞬で入力できて楽チンにゃ
セルの書式設定をする	Win Ctrl + 1 Mac ⌘ + 1	上のタブから探さずに設定を開けてわかりやすいにゃ
セル内で改行する	Win Alt + Enter Mac option + Enter	Enterだけだと次のセルに進んでしまうからコレを使うにゃ
シートを右に移動する シートを左に移動する	Win Ctrl + Pageup + pagedown	Macはコレにゃ！ Mac option + →キー + ←キー

エクセルを使って仕事効率をアップさせてにゃ！

他のオフィスソフトでも使えるからやってみてにゃ

資料作成がサクサク進む！

パワポショートカットキー

パワーポイントをサクサク使うための
ショートカットキーをまとめてみたにゃ！
資料作成が楽になるから覚えておくと便利にゃ！

できること	ショートカットキー	補足
スライドを追加する	Win: Ctrl + M Mac: ⌘ + Shift + N	新しいスライドを追加するのもラクラクにゃ！
スライドやオブジェクトを複製する	Win: Ctrl + D Mac: ⌘ + D	同じ図形やスライドを一瞬で複製してくれるにゃ
グループ化する	Win: Ctrl + G Mac: ⌘ + option + G	バラバラで困る時はグループ化しておくにゃ
グループ化を解除する	Win: Ctrl + Shift + G Mac: ⌘ + option + Shift + G	グループ化したものを調整したい時に使えるにゃ
文字を斜体にする	Win: Ctrl + I Mac: ⌘ + I	斜め文字でアクセントを入れれるにゃ！
スライドショーを開始する	Win: F5 Mac: ⌘ + Shift + Enter	スライドショーをかんたんに開始できるにゃ！
現在のスライドからスライドショーを開始する	Win: Shift + F5 Mac: Shift + F5	選択しているスライドから見たい時に使えるにゃ
スライドショーを終了する	Win: Esc Mac: Esc	スライドショーを終了する時も一瞬でできるにゃ！
レーザーポインターを出す	Win: Ctrl + L Mac: ⌘ + L	レーザーポインターを使ってわかりやすく説明するにゃ！
フォントサイズを下げる フォントサイズを上げる	Win: Ctrl + Shift + > Ctrl + Shift + <	Mac　Macで使う場合はショートカットキーを割り当てるにゃ

パワーポイントでわかりやすい資料を
爆速で作れるから試してみてにゃ！

あれなんだっけ?

よく使う紙サイズ一覧

ポスターと人(猫)の比率

	A列	よく見る使われ方	B列	よく見る使われ方
0	841×1189mm	大型ポスター	1030×1456mm	大型ポスター
1	594×841mm	屋内ポスター	728×1030mm	屋内ポスター
2	420×594mm	カレンダー	515×728mm	屋内案内図
3	297×420mm	2つ折パンフ、小型ポスター	364×515mm	中吊りポスター
4	210×297mm	ノート、チラシ	257×364mm	折込チラシ、カタログ、賞状
5	148×210mm	ノート、本 手帳、納品書	182×257mm	教科書、ノート 雑誌、チラシ
6	105×148mm	文庫本、メモ帳	128×182mm	単行本

封筒

【定形外郵便】
角2(角形2号)
240×332mm

【定形郵便】
長3(長形3号)
120×235mm

長3横(洋形長3号)
235×120mm

洋2(洋形2号)
162×114mm

紙ものサイズは
これを見れば
バッチリにゃ!

はがき

100×148mm

名刺

55×91mm

ビジネスに役立つ!

イベントカレンダー

1年のイベントを押さえておくことで、ビジネスシーンに活用できるにゃ
主な記念日をまとめてみたから、ぜひ使ってにゃ!

1月 気持ちを新たにスタートにゃ!

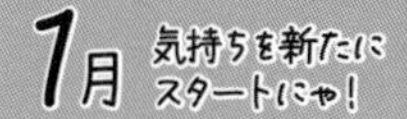

- 上旬：元日、七草粥の日、成人の日

キーワード：お正月、新年会、冬休み、初売り

2月 冬本番!身体に気をつけるにゃ

- 上旬：節分
- 中旬：建国記念日、バレンタインデー
- 下旬：猫の日、天皇誕生日

キーワード：受験、入園準備

3月 新生活に向けて準備の月にゃ!

- 上旬：ひな祭り、ありがとうの日
- 中旬：ホワイトデー
- 下旬：動物愛護デー、春分の日

キーワード：引っ越し、新生活、卒業式、花粉

4月 桜満開!出会いの季節にゃ

- 上旬：エイプリルフール
- 下旬：昭和の日

キーワード：入園入学、入社式、お花見、ピクニック

5月 外遊びしやすい気候にゃ!

- 上旬：憲法記念日、みどりの日、こどもの日、母の日

キーワード：ゴールデンウィーク、梅雨準備、初任給

6月 少しずつ夏の準備をするにゃ

- 中旬：父の日

キーワード：梅雨、ブライダル

7月 夏らしいイベント楽しむにゃ!

- 上旬：七夕
- 中旬：海の日

キーワード：夏休み、お中元、ボーナス

8月 熱中症に気を付けるにゃ

- 上旬：山の日

キーワード：夏祭り、お盆休み、花火大会

9月 過ごしやすくなるシーズンにゃ

- 上旬：防災の日
- 中旬：敬老の日
- 下旬：中秋の名月、秋分の日

キーワード：お月見、キャンプ、お彼岸、台風

10月 食欲の秋で食べ過ぎちゃうにゃ

- 中旬：スポーツの日
- 下旬：ハロウィン

キーワード：運動会、紅葉、衣替え

11月 冬に向けて準備するにゃ

- 上旬：文化の日
- 中旬：七五三
- 下旬：いい夫婦の日、勤労感謝の日

キーワード：ブラックフライデー、七五三

12月 今年もよく頑張ったにゃ!

- 上旬：大掃除の日
- 下旬：クリスマス、大晦日

キーワード：年越し、大掃除、歳末セール、お歳暮

あとがき

ここまで読んでいただいたあなたはきっとこの先どんな上司からの指示を聞いたとしても、どんな本を読んだとしても、頭の中で図解にするイメージがついているのではないでしょうか？

実はこれが本書の一番のねらいです。

この本をきっかけに、さまざまなことをもっとシンプルに構造化できる考え方を持っていただきたいのです。

会社の書類やマニュアル、難しいビジネス書なども本質的に言っていることは一緒でも、リモにゃんに置き換えて考えてみると、世界が少し丸く優しくなった感じがしませんか？

まさに、私も約2年前にそんな衝撃を受けました。

私が運営している女性のWEBフリーランススクール＆ラボ『リモラボ』で講義をした内容を、頼んだわけでもないのですが、スクールのメンバーでイラストレーターの平田がイラスト図解にしてX（当時Twitter）に投稿してくださったのです。

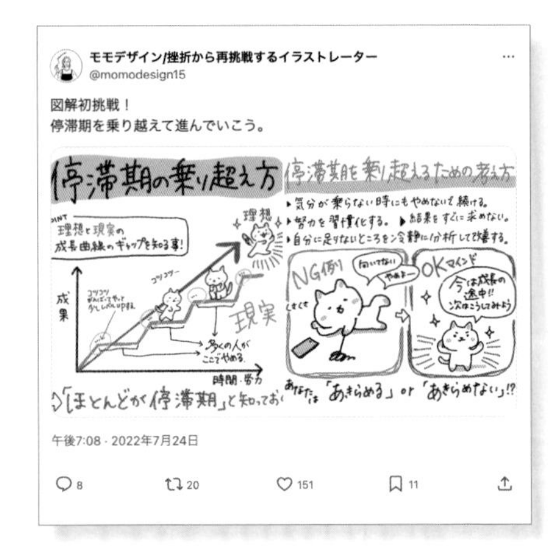

私が1時間半の講義で話した内容をこんなにもわかりやすく、第三者にも伝わる形で描いて下さっていて、正直「これ、私が長時間一生懸命話すより全然いいじゃん（笑）」と思ったんですよ。

今思えばここに描いてくださった猫が『初代リモにゃん』です。

それがきっかけで、「今すぐにオンラインスクール『リモラボ』の公式キャラクターを作成したい！」と平田に相談をしました。

どんな方がどんな時に見てもさまざまな表情に捉えられるようにポーカーフェイスで、ボディは親しみやすいようにずんぐりむっくりで、など半年ほどこだわりと改良を重ねて「リモにゃん」が誕生しました。

リーダー職をされている方ならわかるかと思います。仕事についてあれこれ後輩に伝えたいことが沢山あっても、どうしてもお説教っぽくなってしまいがちですよね。

今のご時世「〇〇ハラ」とハラスメント系の名前をつけられるのではないかと心配になることも。できれば仕事は仲間と楽しい雰囲気でしたいものですよね。

仲間と楽しく仕事をするためにも、自分の眉間にシワができないようにするためにも『イラスト図解』は絶対に必要だと感じました。

そして少しでもこの「優しい世界」が広がれば嬉しいと思い、SNSアカウントを立ち上げるに至ったのです。

それからSNSに毎日投稿を続け、図解の総数は800投稿以上。SNS累計フォロワー数20万人、TikTokはたった5ヶ月でフォロワー10万人、2年で書籍を発売。

正直、ここまで広がるとは思っていませんでした。

投稿を続けているうちに、ビジネスパーソンのニーズも徐々にわかるようになり、イラスト図解のレベルもどんどん上がっていきました。

今回本書に入れている内容はそこから厳選をして、さらに新たなオリジナル図解も多く作成して盛り込んでおります。

何度もミーティングを重ねた結果、泣く泣く書籍には入れられなかった図解もたくさんあるので、最後に掲載しているURLからXやTikTokにて最新図解をお届けします。

また、読者限定の公式LINEでも、リモにゃんから書籍の活用方法について解説していますので、ぜひ見てみてください！

これから仕事をする上で少しでもわかりにくい、難しい、とっつきにくい、ということがありましたら、ぜひきいろいネコの姿を思い浮かべてみてください。

物事をやわらかく考えるためにきっとあなたの味方になってくれるはずです。いつも心にきいろいネコを。

リモにゃん公式アカウント

▶ **X（旧Twitter）：** ＠remolabo
https://twitter.com/remolabo

▶ **TikTok：** ＠remolabo_
https://www.tiktok.com/@remolabo_

▶ **LINE：** リモラボ
https://bit.ly/remonya

リモラボ公式アカウント

▶ **YouTube：** https://youtube.com/@remolabo_ch

小森優

女性のリモートワーク実践スクール『リモラボ』代表。2021年からサービス開始。およそ300名以上のフルリモートで働く女性フリーランスを束ねながら、企業・事業主のSNS運用や事業支援を5,000件以上経験。オンラインスクールのメンバーは累積4,000名以上（2024年6月時点）。

▶ **X：**＠komorin_work
https://x.com/komorin_work

▶ **Instagram：**@komorin_work
https://www.instagram.com/komorin_work

STAFF CREDIT

イラスト　平田かおり
アシスタント　まおうやま（山村知瑛）、岡川れん、リモラボイラストチーム

カバーデザイン　tobufune
本文デザイン　阿部早紀子
DTP　ニシエ芸
取材　アンドウヨーコ
編集　続木順平（KADOKAWA）
校正　鷗来堂

にゃるほど！
作業が遅いで悩まなくなる
仕事術図解100

2024年 6 月19日　初版発行
2024年11月10日　３版発行

監修　小森 優
発行者　山下 直久
発行　株式会社KADOKAWA
〒102-8177
東京都千代田区富士見2-13-3
電話　0570-002-301（ナビダイヤル）
印刷所　大日本印刷株式会社
製本所　大日本印刷株式会社

●お問い合わせ
https://www.kadokawa.co.jp/（「お問い合わせ」へお進みください）
※内容によっては、お答えできない場合があります。
※サポートは日本国内のみとさせていただきます。
※Japanese text only

定価はカバーに表示してあります。

ISBN978-4-04-606964-1 C0037